WPROWADZENIE...

Charlie Bucket

pan
Willy Wonka

państwo Bucketowie

...bbs

Lancelot R. Gilligrass,
prezydent
Stanów Zjednoczonych

7.35

**Książki Roalda Dahla
z ilustracjami Quentina Blake'a:**

BFO
Charlie i fabryka czekolady
Charlie i wielka szklana winda
Czarodziejski palec
Fantastyczny pan Lis
Krokodyl Olbrzymi
Matylda
Wiedźmy

ROALD DAHL

Charlie i wielka szklana winda

Tłumaczył Jerzy Łoziński

Ilustrował Quentin Blake

ZYSK I S-KA
WYDAWNICTWO

Więcej informacji
o Roaldzie Dahlu
znajdziesz na stronie
www.roalddahl.com

Tytuł oryginału
Charlie and the Great Glass Elevator

Redaktor
Hanna Koźmińska

Wydanie I

ISBN 83-7298-545-6

Zysk i S-ka Wydawnictwo
ul. Wielka 10, 61-774 Poznań
tel. (0-61) 853 27 51, 853 27 67, fax 852 63 26
Dział handlowy, tel./fax (0-61) 855 06 90
sklep@zysk.com.pl
www.zysk.com.pl
Druk i oprawa: ABEDIK Poznań

Dla moich córek:
Tessy, Ophelii, Lucy

oraz mego syna chrzestnego
Edmunda Pollingera

1
Za daleko

Kiedy ostatnio widzieliśmy Charliego, wzbijał się ponad swój dom w wielkiej szklanej windzie. Chwilę wcześniej pan Wonka poinformował go, że odtąd jest właścicielem ogromnej, bajecznej fabryki czekolady, i teraz nasz mały bohater z całą swą rodziną udaje się, aby zamieszkać w fabryce. Przypomnijmy sobie pasażerów windy. Oto oni:

Charlie Bucket, nasz bohater,

pan Willy Wonka, niezwykły producent czekolady,

państwo Bucketowie, matka i ojciec Charliego,

dziadek George i babcia Georgina, rodzice pani Bucket,

dziadek Joe i babcia Josephine, rodzice pana Bucketa.

Babcie Josephine oraz Georgina, a także dziadek George nadal leżą w łóżku, które zostało wepchnięte do windy. Dziadek Joe, jak z pewnością pamiętacie, już wcześniej opuścił łóżko, aby wraz z Charliem udać się na zwiedzanie słynnej fabryki czekolady pana Wonki.

Wielka szklana winda znajdowała się tysiąc stóp nad ziemią i gładko sunęła po przeczystym błękitnym niebie. Perspektywa zamieszkania w fabryce sprawiła, że wszyscy na pokładzie windy —

pozwólcie, że pozwolę sobie na takie określenie — byli bardzo podnieceni.

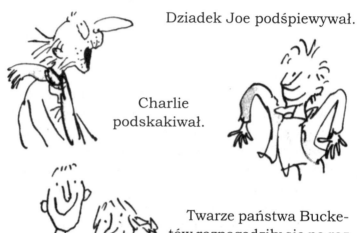

Dziadek Joe podśpiewywał.

Charlie podskakiwał.

Twarze państwa Bucketów rozpogodziły się po raz pierwszy od bardzo, bardzo długiego czasu, a troje staruszków w łóżku uśmiechało się do siebie, ukazując bezzębne dziąsła.

— Jak to się dzieje, na litość boską — wychrypiała babcia Josephine — że ta zwariowana rzecz leci w powietrzu?

— Pozwolę sobie zwrócić uwagę szanownej pani — powiedział pan Wonka — że to już nie jest normalna winda. Normalna winda porusza się tylko w górę i w dół w środku budynków, kiedy natomiast wzbija się w niebo, staje się windą nie  normalną, ale niezwykłą. TO WIELKA SZKLANA WINDA!

— No dobrze, normalna, nie normalna, szklana, nie szklana, ale na czym ona się trzyma? — nastawała babcia Josephine.

— Na powietrznych hakach — odparł pan Wonka.

— Pierwsze słyszę. — Babcia Josephine zmarszczyła brwi.

— Kiedy szanowna pani pobędzie z nami odrobinę dłużej, zobaczy pani więcej rzeczy, o których dotąd nie słyszała.

— Ale zaraz, skoro mają tu być jakieś haki — nie ustawała babcia Josephine — to jak rozumiem jeden koniec zaczepiony jest za to coś, w czym jedziemy, tak?

— Tak — odparł pan Wonka.

— A do czego zaczepiony jest drugi koniec?

— Każdego dnia słyszę coraz gorzej — poskarżył się pan Wonka. — Jak już będziemy na miejscu, proszę mi przypomnieć, żebym wezwał lekarza.

— Charlie — stanowczym głosem zwróciła się

babcia Josephine do wnuka. — Nie wydaje mi się, żeby można było ufać temu jegomościowi.

— Mnie też się nie wydaje — przyłączyła się babcia Georgina. — On coś kręci.

Charlie nachylił się nad łóżkiem i wyszepał:

— Błagam, nie zepsujcie wszystkiego. Pan Wonka jest fantastyczny. To mój przyjaciel, kocham go.

— Charlie ma rację — również szeptem odezwał się dziadek Joe, który stanął tuż obok wnuka.

— Uspokój się, Josie, i nie rób kłopotów!

— Musimy się spieszyć! — oznajmił w swoim stylu pan Wonka. — Tak dużo mamy czasu, a tak mało jest do zrobienia! Nie! Stop! Odwrotnie! Dzięki. A teraz migiem do fabryki! — Pan Wonka klasnął w dłonie i podskoczył wysoko, niemal pod sam sufit. — Z powrotem do fabryki! Ale zanim zaczniemy się obniżać, najpierw trzeba się w z n i e ś ć, i to w y ż e j n i ż w y s o k o!

— A nie mówiłam? — sapnęła babcia Josephine. — To wariat!

— Uspokój się, Josie — ofuknął żonę dziadek Joe. — Pan Wonka doskonale wie, co robi.

— Jest szalony jak szalik! — gniewnie oznajmiła babcia Georgina.

— Jeszcze wyżej! — krzyczał tymczasem pan Wonka. — Wyżej niż wysoko. Uwaga na brzuchy, żeby się coś nie stało! — Z tymi słowami przycisnął brązowy guzik, a wtedy szklana winda raptownie drgnęła i ze straszliwym świstem pognała wzwyż jak rakieta. Wszyscy chwycili się jedno drugiego, a wielki pojazd rozpędzał się coraz bardziej, świst zaś stał się tak przeraźliwie głośny, że pasażerowie musieli krzyczeć, aby się porozumieć.

— Stop! — darła się babcia Josephine. — Joe, powiedz mu, żeby zatrzymał! Ja chcę wysiąść!

— Ratuuunku! — zawodziła babcia Georgina.

— W dół, na ziemię! — domagał się dziadek George.

— Mowy nie ma! — sprzeciwił się pan Wonka.

— Musimy wznieść się jak najwyżej!

— Ale dlaczego? — zawołali wszyscy. — Dlaczego w górę, a nie w dół?

— Bo im wyżej będziemy, zanim zaczniemy spadać, z tym większą szybkością trafimy.

— Trafimy w c o o o?! — zawołali wszyscy.

— W fabrykę, rzecz jasna — pogodnie oznajmił pan Wonka.

— Pan naprawdę do cna oszalał, dobrodzieju! — żachnęła się babcia Josephine. — Przecież zmiażdży nas pan na miazgę!

— Na placek! — dorzuciła babcia Georgina.

— Jest niewielkie ryzyko, ale trzeba je podjąć — powiedział pan Wonka.

— Proszę się przyznać, że pan żartuje! — zażądała babcia Josephine.

— Ja nigdy nie żartuję, łaskawa pani.

— Och, mój Boże! — wykrzyknęła babcia Georgina. — Wszyscy co do jednego zostaniemy z l i k w i d o w a n i!

— To bardzo prawdopodobne — przyznał pan Wonka.

Babcia Josephine z krzykiem skryła się pod kołdrą, babcia Georgina tak mocno objęła dziadka

11

George'a, że ten niemal zupełnie stracił dech. Państwo Bucketowie obejmowali się i ze strachu nie mogli wykrztusić ani słowa. Najwięcej spokoju zachowali dziadek Joe i Charlie, bo zdążyli już przywyknąć do dziwnych rzeczy rozgrywających się wokół pana Wonki. Kiedy jednak wielka szklana winda coraz bardziej oddalała się od ziemi, nawet Charlie począł się denerwować.

— Przepraszam pana! — zawołał wreszcie. — Ale nie rozumiem, d l a c z e g o musimy spadać z taką wielką prędkością.

— Kochany chłopcze — odrzekł pan Wonka — jeśli nie będziemy mieć odpowiedniej szybkości, nigdy nie uda nam się przebić przez dach fabryki. To nie takie proste zrobić w nim dziurę.

— Ale jedna przecież już jest — zauważył Charlie. — Ta, przez którą się wydostaliśmy.

— To trzeba zrobić drugą — odparł pan Wonka. — Dwie dziury są lepsze od jednej. Każda mysz ci to powie.

Wielka szklana winda znalazła się już tak wysoko, że pod sobą widzieli lądy i oceany niczym na globusie. Był to bardzo piękny widok, kiedy jednak masz go pod stopami przez szklaną podłogę — to i trochę przerażający. Nawet Charlie poczuł strach. Mocno ścisnął dłoń dziadka Joe, spojrzał niespokojnie w jego twarz i wyznał:

— Boję się, dziadku.

Joe nachylił się, mocno objął wnuka i mruknął:

— Ja także, skarbie, ja także.

— Panie Wonka! — krzyknął Charlie. — A może już wystarczy?

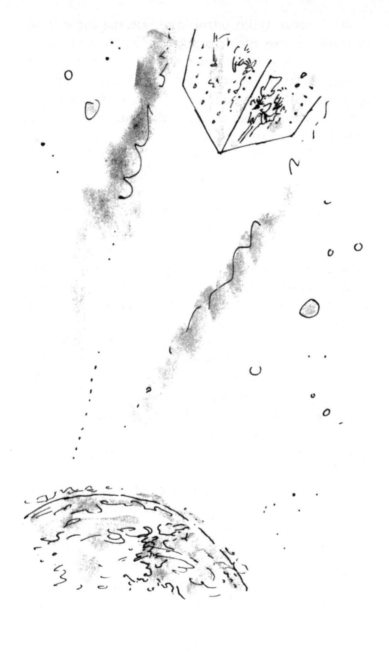

— Jeszcze tylko odrobinkę, ale nie mów teraz do mnie, proszę, nie rozpraszaj mnie. Muszę wszystko bardzo dokładnie obserwować. Liczy się każdy ułamek sekundy, drogi chłopcze. Widzisz ten zielony guzik. Muszę go nacisnąć we właściwym momencie. Jeśli spóźnię się o drobniutką chwilkę, polecimy z a w y s o k o!

— A co się wtedy stanie? — spytał dziadek Joe.

— Proszę mnie nie rozpraszać! Muszę być skoncentrowany! — parsknął niecierpliwie pan Wonka.

Dokładnie w tej chwili babcia Josephine wystawiła głowę spod kołdry, a wyjrzawszy za krawędź łóżka, przez szklaną podłogę zobaczyła w dole Amerykę Północną, która z wysokości prawie dwustu mil wydawała się nie większa od tabliczki czekolady.

— Niechże k t o ś powstrzyma tego furiata! — syknęła, wyciągnęła kościstą rękę i ułapiwszy jedną z pół fraka pana Wonki, mocno szarpnęła, pociągając go na łóżko.

— Nie, nie! — krzyknął zaatakowany i spróbował się uwolnić. — Proszę dać mi spokój! Mam ważne rzeczy do zrobienia! Pilotowi nie wolno przeszkadzać!

— Ty wariacie! — krzyczała babcia Josephine, a szarpała pana Wonkę tak gwałtownie, że głowa latała mu na wszystkie strony jak na tasiemce. — Zawieź nas w tej chwili do domu!!!

— Proszę mnie puścić! — Pan Wonka miotał się rozpaczliwie. — Jeśli nie nacisnę guzika w odpowiedniej chwili, polecimy za wysoko! Proszę mnie

puścić! Puść! — A kiedy babcia Josephine nie
dawała za wygraną, pan Wonka zawołał do Charliego: — Naciśnij guzik! Ten zielony! Szybko, szybko, szybko!!!

Charlie skoczył ku przeciwległej ścianie windy
i wbił kciuk w zielony przycisk. W tym samym jednak momencie winda z głuchym stęknięciem prze-
wróciła się na bok, a przeraźliwy świst ucichł jak
nożem uciął. Cisza zapadła tak gwałtownie, że
wszystkim dzwoniło w uszach.

— Za późno! — Pan Wonka był najwyraźniej

zdesperowany. — I co teraz z nami będzie? Jesteśmy w pułapce!!!

Kiedy mówił te słowa, łóżko z trojgiem staruszków oderwało się od podłogi i zawisło w powietrzu. To samo stało się z Charliem, jego rodzicami, dziadkiem Joe i panem Wonką — wszyscy niczym balony unosili się między podłogą a sufitem przedziwnej wielkiej szklanej windy.

— No i sama pani w i d z i, co pani narobiła! — powiedział z wyrzutem w głosie pan Wonka do babci Josephine, ta jednak chyba go nawet nie słyszała, tak była zaskoczona, gdyż nie wiadomo kiedy wysunęła się z łóżka i unosiła się teraz pod sklepieniem w swej nocnej koszuli.

— Polecieliśmy za daleko? — upewnił się Charlie.

— Czy polecieliśmy za d a l e k o?! — krzyknął pan Wonka. — Oczywiście, że za daleko! Wiecie, gdzie teraz jesteśmy, moi drodzy? Na orbicie, tyle wam powiem!

Wszyscy wytrzeszczyli oczy i z wrażenia nie potrafili bąknąć ani słowa.

— Okrążamy teraz Ziemię z szybkością siedemnastu tysięcy mil na godzinę. I co na to powiecie?

— Duszę się! — sapnęła babcia Georgina. — Brak mi tchu!

— Pewnie, że brak! — Pan Wonka wzruszył ramieniem. — Na tej wysokości nie ma powietrza. — Podpłynął do oznaczonego napisem „tlen" guzika w suficie i wcisnął go. — Już w porządku. Proszę spokojnie oddychać.

— Ale dziwaczne uczucie! — powiedział Charlie. — Czuję się tak, jakbym był bąbelkiem.

— Wspaniałe! — potwierdził dziadek Joe. — Zupełnie nic nie ważę!

— Nikt z nas tutaj nic nie waży — poprawił go pan Wonka. — Ani uncji.

— Co za bzdura! — obruszyła się babcia Georgina. — Ja ważę dokładnie sto trzydzieści siedem funtów.

— Nie tutaj — obstawał przy swoim pan Wonka. — Tutaj nic pani nie waży, łaskawa pani.

Obie babcie i dziadek George rozpaczliwie próbowali powrócić do łóżka, ale zupełnie im się to nie udawało. Łóżko, podobnie jak oni, unosiło się w powietrzu, ilekroć więc chcieli się na nim położyć, ono wymykało się i odpływało. Charlie i dziadek Joe nie posiadali się ze śmiechu.

— Co was tak rozbawiło? — spytała nadąsana babcia Josephine.

— Ruszyliście się wreszcie z tego łóżka — zawołał dziadek Joe.

— Zamknij się i pomóż nam! — gniewnie poleciła babcia Josephine. — Ja chcę się spokojnie położyć.

— Nic z tego — oznajmił pan Wonka. — Nigdy się nie położycie. Ale przecież takie pływanie w powietrzu jest całkiem przyjemne.

— To wariat! — upierała się babcia Georgina. — Uważajcie, mówię wam, bo inaczej zlikwiduje nas wszystkich!

2

Hotel kosmiczny „USA"

Wielka szklana winda pana Wonki nie była jedynym obiektem poruszającym się w tym czasie po orbicie okołoziemskiej. Dwa dni wcześniej Stanom Zjednoczonym udało się umieścić na niej pierwszy hotel kosmiczny, wielką kapsułę w kształcie parówki, długości tysiąca stóp. Hotel nazywał się „USA", a konstruktorzy byli z niego niezwykle dumni. W środku znajdował się kort tenisowy, basen kąpielowy, sala gimnastyczna, wielki pokój do zabaw dziecięcych i pięćset luksusowych pokoi, każdy z łazienką. Hotel był klimatyzowany, a wyposażono go także w aparaturę wytwarzającą grawitację, tak że w środku normalnie się chodziło, a nie pływało w powietrzu.

Ten niezwykły obiekt okrążał teraz Ziemię na wysokości dwustu czterdziestu mil. Gości miano dowozić i odwozić promami, które od poniedziałku do piątku startowały co godzinę z Cape Kennedy. Jak na razie jednak nikogo nie było na pokładzie, a to z tej przyczyny, że nikt tak naprawdę nie wierzył, że coś równie ogromnego może bezpiecznie krążyć po orbicie.

Operacja zakończyła się jednak oczywistym sukcesem i właśnie trwały przygotowania do wysyłki pierwszych gości. Wystarczyło, by rozeszła się pogłoska, że w pierwszej turze gości znajdzie się sam prezydent Stanów Zjednoczonych, aby zaczęły się zgłaszać nieprzebrane rzesze chętnych z całego świata. Do Białego Domu dzwoniło kilkanaście koronowanych głów, aby zrobić rezerwację, a teksański milioner Orson Cart, który właśnie miał poślubić gwiazdę Hollywood Helen Highwater, zaoferował po sto milionów dolarów za każdy dzień miesiąca miodowego spędzonego w hotelu kosmicznym.

Nie można jednak zakwaterować w hotelu gości, jeśli nie ma w nim odpowiednio wielu osób do opieki nad nimi, i to tłumaczy, dlaczego na orbicie znajdował się jeszcze jeden pojazd. Był to wielki prom transportowy, który miał przewieźć cały personel hotelu kosmicznego „USA": dyrektora, jego zastępców, recepcjonistów, kelnerki, pokojówki, chłopców na posyłki, kuchmistrza, kucharki i portierów. Promem kierowali trzej sławni astronauci: Shuckworth, Shanks i Showler — przystojni, dzielni i wprawni.

— Dokładnie za godzinę — poinformował pasażerów przez mikrofon pokładowy Shuckworth — przycumujemy do hotelu kosmicznego „USA", gdzie będziecie mieszkać przez następne dziesięć lat. Jeśli zobaczycie teraz przed nami jakieś światełko, będzie to właśnie nasz wspaniały statek kosmiczny. Zaraz, coś widzę! To chyba on! Z całą pewnością widać coś przed nami!

Shuckworth, Shanks, Showler, dyrektor, jego zastępcy, recepcjoniści, kelnerki, pokojówki, chłopcy na posyłki, kuchmistrz, kucharki i portierzy — wszyscy zaczęli wpatrywać się w okna. Shuckworth wystrzelił kilka małych rakiet, aby zwiększyć szybkość promu.

— Ajajaj! — wykrzyknął Showler. — To nie nasz hotel!

— Psie kiszki! — zawtórował mu Shanks. — Niech to Nabuchodonozor kopnie, co to takiego?

— Teleskop! Szybko! — polecił Shuckworth.

Jedną ręką wycelował teleskop w podejrzany obiekt, a drugą połączył się z Centrum Kontroli Lotów.

— Halo, Houston! — krzyknął do mikrofonu. — Mamy tu przed sobą coś dziwnego! Nigdy dotąd z pewnością nie widziałem żadnego podobnego statku kosmicznego!

— Opisz pokrótce! — padło polecenie z Houston.

— Nieduże... całe ze szkła, takie dosyć prostokątne i w środku jest pełno ludzi!

— Ilu astronautów na pokładzie?

— Ani jednego — odparł Shuckworth. — Nie ma mowy, żeby to byli astronauci.

— Skąd pewność?

— Bo przynajmniej trzy osoby są w nocnych koszulach!

— Shuckworth, nie wygaduj głupot! — ofuknęło kapitana promu Centrum. — To poważna sprawa, weź się w garść!

— Przysięgam, że mówię prawdę! — krzyknął zdesperowany Shuckworth. — Trójka w koszulach nocnych! Dwie starsze kobiety i jeden starszy mężczyzna. Widzę ich wyraźnie! Nawet twarze. O rany, oni są starsi niż sam Mojżesz! Każde ma minimum dziewięćdziesiąt lat!

— Zwariowałeś, Shuckworth! — oznajmiło Centrum Kontroli Lotów. — Po powrocie przenosimy cię na emeryturę! Dawaj Shanksa!

— Tu Shanks — zgłosił się wywołany. — A teraz słuchajcie tam w Houston. Mamy tu rzeczywiście trójkę staruchów, którzy w nocnych koszulach pływają sobie w czymś, co przypomina akwarium, a także jakiegoś małego facecika ze szpiczastą bródką, czarnym cylindrem, w śliwkowym aksamitnym fraku oraz zielonych spodniach...

— Dosyć! — wrzasnęło Centrum.

— To jeszcze nie wszystko — ciągnął spokojnie Shanks. — Jest tam także chłopiec, na oko dziesięć lat...

— Żaden chłopiec, ty durniu! — wrzasnęło Centrum Kontroli Lotów. — To przebrany astronauta! Karzełek astronauta w przebraniu małego chłopca. Ci starzy to także astronauci! Wszyscy przebrani dla niepoznaki.

— Ale k t o to taki? — spytał Shanks.

— A skąd niby mamy wiedzieć? Kierują się do naszego hotelu kosmicznego?

— Lecą dokładnie w tym kierunku! Hotel jest o jakąś milę ode mnie.

— Chcą go detonować! — W Centrum Kontroli Lotów najwyraźniej zapanowała panika. — To... to okropne, ka... katastrofa...

Głos kontrolera nagle się urwał, a zamiast niego w słuchawkach Shanksa rozbrzmiał całkiem inny głos, niski i chrapliwy.

— Ja teraz przejmuję kierownictwo — oznajmił. — Jesteście tam, Shanks?

— Pewnie, że jestem, gdzie miałbym się podziać? Ale co to znowu za porządki? Kto tu się wchrzania? To niedopuszczalne, sprzeczne z przepisami! Coś ty w ogóle za jeden?

— Jestem prezydentem Stanów Zjednoczonych — odparł głos.

— Jasne, a ja Czarodziejem z Krainy Oz. Gadaj zdrów!

— Dość tego, Shanks! — przerwał prezydent. — To sprawa o znaczeniu narodowym!

— O kurczę! — mruknął Shanks i popatrzył na Shuckwortha i Showlera. — To n a p r a w d ę prezydent, prezydent Gilligrass we własnej osobie, poznaję go po głosie... — I znowu do mikrofonu: — Ach tak, w i t a m p a n a, panie prezydencie. Co tam u p a n a?

— Ilu ludzi jest w tej... w tym akwarium, czy jak to tam określić, bo przecież nie ma tam chyba wody?

— Ośmioro. Wody nie ma, oni bardziej latają, niż pływają.

— L a t a j ą?

— Tutaj nie działa już grawitacja, panie prezydencie. Wszystko tu lata. My także byśmy fruwali, gdyby nie pasy. Nie wiedział pan o tym?

— Oczywiście, że wiem. Co jeszcze możecie powiedzieć o tym szklanym obiekcie?

— Jest tam jeszcze łóżko, duże podwójne łóżko. Też lata.

— Łóżko! — warknął prezydent. — Kto słyszał o łóżkach na statku kosmicznym?

— Zaklinam się, że to łóżko — powiedział Shanks.

— Wy także zbzikowaliście, Shanks. Jesteście durni jak durszlak. Dawajcie mi tu zaraz Showlera.

— Tu Showler, panie prezydencie. — Showler przejął mikrofon od Shanksa. — Jestem zaszczycony rozmową z panem, panie prezydencie.

— Mniejsza z tym, zaszczycony czy nie. Gadajcie, co widzicie!

— Łóżko, panie prezydencie. Oglądam je właśnie przez teleskop. Ma zagłówek, materac, pościel...

— To nie może być żadne łóżko, ty półgłówku! — oburzył się prezydent Gilligrass. — Nie rozumiesz, że to pozoracja, a tak naprawdę widzisz bombę?! To zamaskowana bomba! Chcą zniszczyć nasz wspaniały hotel kosmiczny!!!

— K t o taki, panie prezydencie? — ostrożnie spytał Showler.

— Nie gadaj za dużo i daj mi się zastanowić.

Zapadła głucha cisza. Showler czekał w napięciu. W napięciu czekali też Shanks i Shuckworth. W napięciu czekali dyrektor hotelu, jego zastępcy, recepcjoniści, kelnerki, pokojówki, chłopcy na posyłki, kuchmistrz, kucharki i portierzy. W ogromnym pomieszczeniu w Houston zastygła przed swymi monitorami i pulpitami setka kontrolerów. Wszyscy w napięciu czekali, co teraz rozkaże astronautom prezydent.

— Coś mi przyszło do głowy! — odezwał się wreszcie prezydent Gilligrass. — Macie tam przecież na dziobie promu kamerę telewizyjną, Showler?!

— Jasna sprawa, panie prezydencie!

— To czemu jej, durniu, nie włączycie, żebyśmy wszyscy mogli sobie obejrzeć to coś?!

— Nawet o tym nie pomyślałem! — powiedział skruszony Showler. — Od razu widać, kto z nas dwóch jest p r e z y d e n t e m! Już włączam!

Astronauta nacisnął odpowiedni guzik na desce sterowniczej i w tej samej chwili pół miliarda ludzi, którzy przez radio przysłuchiwali się tej rozmowie na całym świecie, rzuciło się do telewizorów.

Na ekranach zobaczyli dokładnie to, co wcześniej opisywali Shuckworth, Shanks i Showler — dziwną szklaną budkę na orbicie, a w środku — może nie całkiem wyraźnie, ale jednak — siedmioro dorosłych osób, jednego chłopca i jedno duże podwójne łóżko, a wszyscy swobodnie unosili się w powietrzu. Za budką można było rozpoznać w oddali zarys hotelu kosmicznego „USA".

Wzrok wszystkich skupił się jednak na złowieszczej kabinie i jej złowrogich pasażerach — na ośmiorgu astronautach tak wytrenowanych i sprawnych, że nie potrzebowali nawet kombinezonów kosmicznych. Co to za ludzie i skąd się wzięli? I na miłość boską — co to za straszliwe urządzenie udające podwójne łóżko? Prezydent powiedział, że to bomba, więc najpewniej miał rację. Ale w takim razie, co z nią zamierzali zrobić? Telewidzów na całym świecie — w Ameryce, Kanadzie, Rosji, Japonii, Indiach, Chinach, Afryce, Anglii, Francji i Niemczech — ogarnęła panika.

— Trzymajcie się od nich z daleka, Showler! — polecił prezydent Gilligrass.

— Oczywiście, panie prezydencie! Będziemy się trzymać j a k   n a j d a l e j! — żarliwie zapewnił Showler.

3
Cumujemy!

Tymczasem w wielkiej szklanej windzie także panowało ogromne poruszenie. Charlie, pan Wonka i cała reszta rodziny — wszyscy świetnie widzieli odległy o milę, wielki, srebrzysty kształt hotelu kosmicznego „USA", za sobą zaś mniejszą (chociaż i tak znaczną) bryłę promu transportowego. Wielka szklana winda — maciupeńka przy tych dwóch kolosach — znajdowała się pośrodku. Wszyscy, nawet babcia Josephine, wiedzieli bardzo dobrze, o co chodzi; ba, znali nawet nazwiska trzech astronautów: Shuckworth, Shanks i Showler. O hotelu kosmicznym wiedział cały świat. Gazety — podobnie jak telewizja — trąbiły przez ostatnie pół roku o tym, co uznano za najważniejsze wydarzenie stulecia.

— Ależ mamy szczęście! — entuzjazmował się pan Wonka. — Znaleźliśmy się w samym środku największej operacji kosmicznej w dziejach.

— Znaleźliśmy się w samym środku jakiejś podejrzanej awantury! — zdecydowanie zaprotestowała babcia Josephine. — Natychmiast zawracajmy!

— Ależ nie, babciu, nie! — błagalnie zawołał Charlie. — Skoro już i tak się tutaj znaleźliśmy, to m u s i m y zobaczyć, jak prom transportowy cumuje do hotelu kosmicznego.

Pan Wonka podpłynął do Charliego i chwycił go za łokieć.

— Wyprzedźmy ich! — szepnął. — Zacumujemy i będziemy pierwsi na pokładzie hotelu kosmicznego!

Charlie w pierwszej chwili patrzył na niego osłupiały, potem głośno przełknął ślinę, a wreszcie szepnął:

— To niemożliwe, panie Wonka. Trzeba mieć różne specjalne urządzenia, żeby się podłączyć do innego statku kosmicznego.

— Moja winda potrafi się podłączyć do krokodyla, jeśli będzie trzeba. Zostaw wszystko mnie, mój drogi! — powiedział pan Wonka.

Teraz Charlie nie wytrzymał.

— Dziadku Joe, słyszałeś?! Przycumujemy do hotelu kosmicznego i wejdziemy do środka!

— Juhuuu!!! — zawył dziadek. — Co za wspaniały pomysł, proszę pana! Wręcz cudowny!

Zaczął potrząsać ręką pana Wonki niczym termometrem po zmierzeniu temperatury.

— Siedźże cicho, ty stary nietoperzu! — prychnęła babcia Josephine. — Jakbyśmy bez tego mieli mało kłopotów! Chcę wrócić do domu!

— Ja też! — poparła ją babcia Georgina.

— A co, jak im się to nie spodoba? — po raz pierwszy odezwał się pan Bucket.

— A co, jak nas złapią? — spytała pani Bucket.

— A co, jak zaczną do nas strzelać? — spytała babcia Georgina.

— A co, jak na brodzie wyrośnie mi szpinak? — zirytował się pan Wonka. — Tumbul i basta jak stąd aż do ciasta! Nigdzie się nie ruszymy, jeśli ciągle będziemy nic tylko „a-co-jakować". Czy Kolumb odkryłby Amerykę, gdyby się zastanawiał: „A co, jak po drodze utonę? A co, jak napotkam piratów? A co, jak nie uda mi się wrócić?" W ogóle by nie wypłynął. Charlie, odtąd żadnych „a-co-jaków", jasne? Zatem ruszamy, tylko... Tylko że to dość skomplikowany manewr i potrzebna mi będzie pomoc. Otóż tak, trzeba nacisnąć odpowiednie guziki w trzech róż-

nych częściach windy. Ja zajmę się tymi dwoma, białym i czarnym. — Pan Wonka mocno dmuchnął i bez wysiłku poszybował niczym wielki ptak do dwóch przycisków. — Dziadku Joe, proszę, niech pan zajmie pozycję przy srebrnym guziku... Tak, dobrze, o ten chodzi... A ty, Charlie... Widzisz ten złocisty pstryczek pod samym sufitem? O, świetnie. Muszę wam powiedzieć, że po naciśnięciu każdego z tych guzików z innego miejsca windy zostanie odpalona rakieta. W ten sposób zmieniamy kierunek.

Rakiety dziadka Joe odchylają nas w prawo, Charliego — w lewo. Moje popychają nas albo w górę, albo w dół, albo szybciej, albo wolniej. Gotowi? — Nie! Stop! — krzyknął Charlie, który zawisł niemal dokładnie pomiędzy podłogą a sufitem. — Co zrobić? Nie mogę dosięgnąć sufitu!

Niczym pływak wymachiwał rozpaczliwie rękami i nogami, ale ani trochę nie mógł unieść się w górę.

— Drogi chłopcze! — powiedział łagodnie pan Wonka. — W tym p ł y w a ć niepodobna, to nie woda, to powietrze, na dodatek bardzo rozrzedzone. Nie ma się w nim od czego odepchnąć. Dlatego też trzeba korzystać z odrzutu. Bierz przykład ze mnie. Najpierw nabierasz głęboko powietrza, a potem robisz taki nieduży otwór w ustach i dmuchasz najsilniej jak potrafisz. Jeśli dmuchniesz w dół, odrzut uniesie cię w górę. Jeśli dmuchniesz w lewo, to przesuniesz się w prawo i tak dalej. Manewrujesz sobą, zupełnie jakbyś manewrował statkiem kosmicznym, tylko że zamiast rakiet używasz ust.

W jednej chwili wszyscy zaczęli tego próbować i winda wypełniła się prychającymi pasażerami. Babcia Georgina, której dwie chude nożyny sterczały z czerwonej flanelowej koszuli nocnej, dmuchała niczym wściekły nosorożec i żeglowała od jednej ściany do drugiej, pokrzykując: „Z drogi! Z drogi!", i od czasu do czasu wpadając z rozpędu na któreś z państwa Bucketów. To samo robił dziadek George i babcia Josephine. Możecie się zastanawiać, co myślały miliony telewidzów, którzy przyglądali się temu z Ziemi, ale trzeba wam wiedzieć, że obraz nie był zbyt wyraźny. Wielka szklana winda na ekranach była nie większa od grejpfruta, a ludzie w środku tylko majaczyli trochę jak pestki, tak czy siak widać było jednak przynajmniej tyle, że w środku jest wielki ruch. Przypominało to szalejące insekty w szklanym opakowaniu.

— Co tam się u diabła dzieje?! — wykrzyknął prezydent Stanów Zjednoczonych, spoglądając w ekran.

— Mnie to przypomina taniec wojenny, panie prezydencie — oznajmił astronauta Showler przez radio.

— Chyba nie macie na myśli Indian? — groźnie spytał prezydent Gilligrass.

— Niczego takiego nie powiedziałem.

— A moim zdaniem powiedziałeś, Showler!

— Ośmielę się sprzeciwić, panie prezydencie.

— Cisza! Nie chcę, żeby mnie rozpraszano.

Tymczasem w windzie pan Wonka uspokajał wszystkich.

— P r o s z ę, b ł a g a m, uspokójcie się! Musimy się zająć cumowaniem, a to bardzo skomplikowana rzecz!

— Cicho, ty jazgarzu! — ofuknęła go babcia Georgina, przepływając obok. — Wystarczyło, że zaczęliśmy się trochę bawić, a ty już próbujesz to zepsuć!

— Tutaj, patrzcie na mnie! — wołała babcia Josephine. — Fruwam! Jestem złotą orlicą!!!

— Na pewno potrafię latać szybciej od ciebie! — przechwalał się dziadek George, a tak śmigał między ścianami windy, że nocna koszula ciągnęła się za nim niczym ogon papugi.

— Dziadku George! — prosił Charlie. — Uspokój się. Jeśli się nie pospieszymy, ci astronauci będą tam przed nami. Naprawdę nie chcecie obejrzeć hotelu kosmicznego, póki nikogo tam jeszcze nie ma?

— Z drogi!!! — darła się wniebogłosy babcia Georgina i dmuchając ze wszystkich sił, pomykała to w jedną, to w drugą stronę. — Z drogi! Jestem odrzutówka!!!

— Stara odpałówka i tyle! — prychnął pan Wonka.

Staruszkowie zmęczyli się jednak w końcu i jedno po drugim zastygli znużeni w powietrzu.

— Nareszcie! — Pan Wonka pokręcił z niesmakiem głową. — Charlie, dziadek Joe, gotowi?

— Tak jest, panie Wonka — zgodnie odpowiedzieli wnuk i dziadek.

— Ja jestem pilotem i ja wydaję rozkazy. Odpalacie rakiety tylko na mój znak. I nie zapominajcie, który po której stronie. Charlie po prawej, dziadek po lewej. — Pan Wonka nacisnął jeden ze swoich dwóch guzików i natychmiast wystrzeliło kilka rakiet, a winda gwałtownie skoczyła w górę, zarazem silnie odchylając się w prawo. — Charlie, pięć razy!

Chłopiec mocno wcisnął przycisk pięciokrotnie, rozległ się odgłos odpalanych rakiet i winda wyrównała swój bieg.

— Tak, świetnie, świetnie! Odrobinę w drugą stronę, dziadek Joe na jeden przycisk! Znakomicie!! Tak trzymać!!!

Jeszcze chwila i zobaczyli ciemniejący przed nimi tył hotelu kosmicznego.

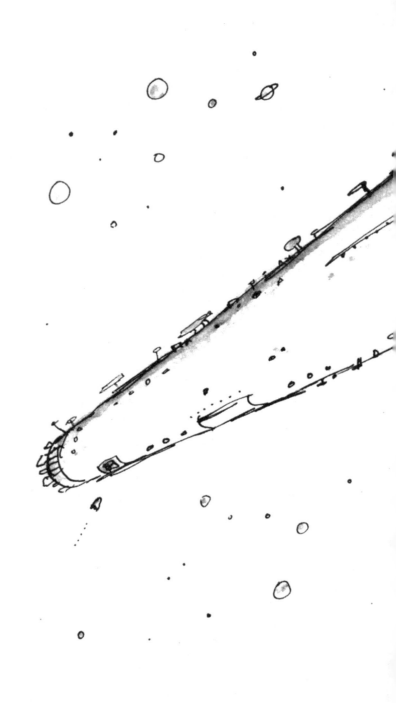

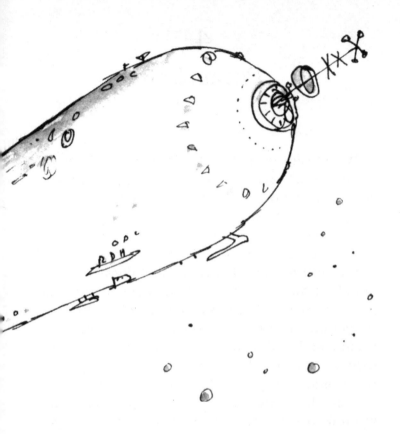

— Widzicie te kwadratowe drzwiczki z zaczepami? To właśnie rampa cumownicza — wyjaśnił pan Wonka. — Już niedługo, zaraz... Charlie na raz! Tak... tak... Dziadek, dwa razy... Pięknie, ślicznie...

Charlie miał takie wrażenie, jakby w malutkiej łódce podpływał do rufy największego statku na świecie. Hotel kosmiczny wydawał się wprost gigantem.

„Nie mogę się doczekać, kiedy już będziemy w środku", pomyślał chłopiec.

4

Prezydent

W odległości pół mili Shuckworth, Shanks i Showler mierzyli kamerami telewizyjnymi wprost w szklaną windę, a miliony ludzi na całym świecie zastygły przed odbiornikami i z zapartym tchem obserwowały dramat rozgrywający się dwieście czterdzieści mil nad nimi. W swym gabinecie w Białym Domu siedział Lancelot R. Gilligrass, prezydent Stanów Zjednoczonych, najpotężniejszy człowiek na Ziemi. Jak w sytuacji każdego kryzysu, natychmiast znaleźli się obok niego wszyscy najważniejsi doradcy, którzy z najwyższą uwagą śledzili na ekranie telewizora każde poruszenie groźnie wyglądającej kabiny i ośmiorga astronautów. Obecny był cały gabinet: dowódca wojsk lądowych w towarzystwie czterech generałów, dowódca marynarki, dowódca wojsk lotniczych, a także połykacz mieczy z Afganistanu, najbliższy przyjaciel prezydenta. Pośrodku pokoju stał główny doradca do spraw finansowych i usiłował na czubku głowy zrównoważyć budżet, ten jednak ciągle się staczał. Miejsce najbliżej prezydenta zajęła pani wiceprezydent, osiemdziesięciodziewięcioletnia dama z fałdami na podbródku. Nazywała się pani Tibbs i niańczyła prezydenta, kiedy ten był niemowlęciem. Była najpotężniejszą osobą z otoczenia prezydenta. Nie dawała sobie wciskać żadnych dyrdymałek; po kątach szeptano nawet, że odnosi się do prezydenta równie bezpośrednio jak wtedy, kiedy była jego niańką. Była prawdziwym postrachem Białego Domu; nawet szef służb specjalnych miał pot na czole, gdy wzywała go do siebie. Tylko prezydent mógł się do niej zwracać: „Nianiu". Aha, w gabinecie była jeszcze słynna kotka prezydenta, Pani Taubsypuss.

W gabinecie prezydenta panowała w tej chwili kompletna cisza. Wszystkie oczy były wlepione w ekran, na którym mały szklany obiekt, odpalając rakiety sterownicze, zwinnie znalazł się tuż za rufą gigantycznego hotelu kosmicznego.

— Chcą zacumować! — wykrzyknął prezydent.

— Chcą wejść na pokład naszego „USA"!

— A potem wysadzą go! — zawołał dowódca wojsk lądowych. — Więc najpierw my i c h rozwalmy. Zróbmy im wielkie bang-bum-bum-trrrach!!! — Miał na sobie mnóstwo medali, które nie tylko zakryły całą pierś, ale schodziły aż na nogawki spodni.

— Do dzieła, panie prezydencie! — zachęcał. — Pokażmy im parę naprawdę ekstrasuperplozji!!!

— Będziesz cicho, ty durniu! — prychnęła pani Tibbs, a dowódca jak niepyszny skrył się w kącie.

— Uwaga! — powiedział prezydent. — Główne pytania brzmią: „Kim są?" i „Skąd się wzięli?" Gdzie jest mój szpieg naczelny?

— Tutaj, panie prezydencie — odezwał się przywołany.

Szpieg naczelny miał sztuczne wąsy, sztuczną brodę, sztuczne rzęsy, sztuczne zęby i sztuczny głos.

— Puk-puk! — powiedział prezydent.
— Kto tam? — spytał szpieg naczelny.
— Kamasz.
— Jaki Kamasz?
— Masz ka?
Zapadła krótka cisza.
— Pan prezydent zadał ci jakieś pytanie — ode-

zwała się lodowatym głosem pani Tibbs. — Czy masz ka?

— Nie, proszę pani, jeszcze nie — odrzekł szpieg naczelny, kręcąc się nerwowo.

— No to jest szansa, by się poprawić — warknęła pani Tibbs.

— Otóż to — powiedział prezydent. — Powiedzcie mi natychmiast, kto tam siedzi w tej kabinie.

— Hm. — Szpieg naczelny podkręcił sztuczny wąs. — To bardzo trudne pytanie.

— Co to, nie wiecie?

— Myślę, że wiem, panie prezydencie. Przynajmniej tak mi się wydaje. Proszę posłuchać. Wystrzeliliśmy na orbitę najlepszy hotel na świecie. Prawda?

— Prawda.

— A kto jest tak szaleńczo zazdrosny o ten nasz cudowny hotel, że z chęcią by go wysadził w próżnię?

— Pani Tibbs — odrzekł prezydent.

— Źle — odparł szpieg naczelny. — Proszę spróbować jeszcze raz.

— Zaraz. — Prezydent zamyślił się głęboko. — A może to właściciel jakiegoś innego hotelu, który nam zazdrości?

— Znakomicie! — wykrzyknął szpieg naczelny. — Ciepło, ciepło, panie prezydencie!

— Pan Savoy!

— Cieplej, cieplej, panie prezydencie.

— Pan Ritz!

— Gorąco, gorąco! Dalej!

— Już wiem! — zawołał prezydent. — Pan Hilton!

— Świetnie, panie prezydencie! — oznajmił szpieg naczelny.

— Jesteście pewni?

— Pewny to może nie jestem, w każdym razie to bardzo prawdopodobne. Poza tym pan Hilton ma hotele chyba w każdym kraju na świecie, ale ani jednego w Kosmosie. Tymczasem my mamy. Musi być wściekły, że hej!

— No, no, no, zaraz będziemy wiedzieć wszystko! — Prezydent sięgnął po jeden z jedenastu telefonów ustawionych na blacie biurka. — Halo! Halo!! Halo!!! Gdzie telefonistka? — Zaczął ze złością uderzać w widełki. — Centrala, centrala!!!

— Nikt ci nie odpowie — oznajmiła pani Tibbs. — Wszyscy oglądają telewizję.

— T e n na pewno odpowie! — warknął prezydent, chwytając jaskrawoczerwony telefon. Była to gorąca linia umożliwiająca bezpośrednie połączenie z urzędującym w Moskwie premierem Rosji. Linia zawsze była czynna, a korzystano z niej tylko w chwilach największego zagrożenia. — Albo Hilton, albo Rosjanie, zgadzasz się, Nianiu?

— To na pewno Rosjanie — zawyrokowała pani Tibbs.

— Mówi premier Jugetow — odezwał się głos z Moskwy. — O co chodzi, panie prezydencie?

— Puk-puk — powiedział prezydent.

— Kto tam? — spytał sowiecki premier.

— Wojen.

— Jaki Wojen?

— Wojen Pokój Lwa Tołstoja — odrzekł prezydent. — Posłuchaj no mnie, Jugetow! Zabierajcie natychmiast tych swoich astronautów od naszego hotelu kosmicznego, bo inaczej pokażemy wam, gdzie wasze miejsce!

— To nie Rosjanie, panie prezydencie.

— Kłamie! — oceniła pani Tibbs.

— Kłamiesz! — orzekł Gilligrass.

— Wcale nie — zaperzył się premier Jugetow. — Czy przyjrzał się pan uważnie tym astronautom w środku szklanego pudełka? Obraz w moim telewizorze nie jest bardzo wyraźny, ale jest tam taki facecik ze szpiczastą bródką, w cylindrze. Na moje oko ma w sobie coś chińskiego. Powiem więcej, bardzo mi przypomina mojego przyjaciela, premiera Chin...

— Niech to piorun strzeli! — Prezydent z wielkim trzaskiem odłożył czerwony telefon i chwycił porcelanowy, który bezpośrednio łączył go z premierem Republiki Chińskiej w Pekinie.

— Halo, halo! — krzyknął prezydent.

— Ryby i Warzywa Winga, Szanghaj — rozległ się w słuchawce daleki głos. — Mówi Wing.

Gilligrass odłożył słuchawkę.

— Nianiu! — powiedział z pretensją w głosie. — To miało mnie łączyć z premierem!

— I łączy — rzekła pani Tibbs. — Spróbuj jeszcze raz.

Prezydent znowu sięgnął po słuchawkę.

— Mówi Wong — odezwał się głos po drugiej stronie.

— K t o o o?! — wrzasnął prezydent.

— Wong, pomocnik zawiadowcy, Chungking, a ten pociąg o dziesiątej, to on nie pojedzie, bo mu się kocioł spalił.

Gilligrass cisnął przez pokój telefonem, który wylądował na kolanach głównego poczmistrza USA.

— Co to ma znaczyć? Bezpośrednia linia? I jak tu rządzić?

— W Chinach bardzo trudno się do kogoś dodzwonić, panie prezydencie — wyjaśnił główny poczmistrz. — Roi się tam od najróżniejszych Wingów i Wongów i za każdym razem telefon łączy z kim innym.

— Co to znowu za głupoty?

Główny poczmistrz umieścił telefon z powrotem na biurku.

— Proszę spróbować jeszcze raz, panie prezydencie. Dokręciłem śrubkę pod spodem.

Gilligrass raz jeszcze chwycił słuchawkę.

— Dzień dobly, panie plezydencie — usłyszał po drugiej stronie. — Mówi wiceplemiel Sta-za-nuf. Co mogę dla pana zlobić?

— Puk-puk — powiedział prezydent.

— Kto tam?

— Masuj.

— Jaki Masuj?

— Masuj się, jak zlecisz z Wielkiego Muru. Dobra, ty tam, Sta-za-nuf. Chcę rozmawiać z premierem Jak-Tu-To.

— Baldzo mi pszyklo, panie plezydencie, ale plemiel Jak-Tu-To nie moze w tej chwili podejść.

— Dlaczego?

— Złapał gumę na loweze i telaz naplawia.

— O nie, nie oszukasz mnie, stary mandarynie! — zdenerwował się Gilligrass. — Razem z tą swoją bandycką siódemką podkrada się teraz do naszego hotelu kosmicznego.

— Baldzo pszeplaszam, panie plezydencie. Stlasznie pan się myli, bo...

— Nie wciskaj mi tutaj kitu! Zaraz macie ich odwołać, bo inaczej wydam rozkaz i zaraz was eksplodują, że aż miło! Zastanów się nad tym, Sta-za-nuf!

— Tak, tak, tak!!! — z zachwytem krzyknął szef wojsk lądowych. — Bang-bang-bum-bum-trrrach!!! Wszystkich ekstrasuperplodować!

— Cisza! — gniewnie powiedziała pani Tibbs.

— Udało się! — wrzasnął główny doradca do

spraw finansowych. — Patrzcie! Zbalansowałem budżet!

I rzeczywiście. Stał dumnie pośrodku pokoju, a ogromny budżet na dwieście miliardów dolarów nieruchomo sterczał na czubku łysej głowy. Wszyscy zaczęli klaskać, ale znienacka z głośników popłynął zdenerwowany głos astronauty Shuckwortha.

— Zacumowali i weszli na pokład! — poinformował gorączkowo. — I wciągnęli też łóżko... To znaczy bombę!

Prezydent z wrażenia głęboko zaczerpnął powietrza, a że przy okazji wchłonął muchę, która przypadkiem leciała sobie nieopodal jego ust, zakrztusił się i rozkaszlał. Pani Tibbs z rozmachem walnęła go w plecy. Prezydentowi udało się przełknąć muchę i poczuł się odrobinę lepiej, a wtedy złapał pisak i kawałek papieru, by niezwłocznie zabrać się do rysowania, podczas którego mruczał pod nosem:

— Żadnych much w moim gabinecie! Na to na pewno nie pozwolę!

Wszyscy doradcy czekali niecierpliwie, dobrze bowiem wiedzieli, że już za chwilę ten wielki człowiek uszczęśliwi świat kolejnym ze swych wiekopomnych wynalazków. Ostatnim był korkociąg dla mańkutów Gilligrassa, jak kraj długi i szeroki przez wszystkich leworęcznych oceniony jako jedno z największych dobrodziejstw tego stulecia.

— Proszę bardzo! — Prezydent dumnym gestem podniósł zarysowaną kartkę. — Oto pułapka na muchy Gilligrassa! Proszę mi to zaraz opatentować!

Wszyscy stłoczyli się wokół biurka.

— Tu z lewej jest drabinka dla muchy. Mucha

się wdrapuje, potem wchodzi na deseczkę i przy-
staje. Węszy. „Co tu tak ładnie pachnie?", myśli
sobie. Wychyla się z deseczki, patrzy, a tu na
sznurku dynda kawałek cukru. „O, cukier!", mówi,
„Dobra nasza!" I już chce się spuścić po sznurku
do smakołyku, kiedy nagle spostrzega, że na dole
jest miska z wodą. „Uwaga! To pułapka! Chcą, żebym się utopiła", mówi do siebie i dalej idzie po
desce, dumna, jakie to z niej mądre muszysko. Nie
wie tylko, że w drabince po prawej stronie nad-

ciałem jeden szczebel, który się pod nią załamie, jak będzie schodzić, a ona skręci sobie kark.

— Cóż za znakomity pomysł, panie prezydencie! — wszyscy zawołali chórem. — Wspaniały! Genialny!

— Wojska lądowe natychmiast zamawiają sto tysięcy! — oznajmił dowódca naczelny wojsk lądowych.

— Dziękuję — powiedział prezydent i zrobił na kartce odpowiednią adnotację.

— Powtarzam — znowu rozbrzmiało w głośnikach ostrzeżenie Shuckwortha. — Weszli na pokład, wnosząc ze sobą bombę!

— Trzymajcie się z daleka, Shuckworth — polecił prezydent Gilligrass. — Szkoda by było, gdyby wysadzili w próżnię także was i waszych ludzi.

Teraz miliony telewidzów na całym świecie w jeszcze większym napięciu oglądały to, co się działo na kolorowych ekranach. Widać na nich było lśniącą, malutką szklaną kapsułkę, przymocowaną do podbrzusza olbrzymiego hotelu kosmicznego. Wyglądała jak maciupeńkie wielorybiątko, które przylgnęło do swej matki. Kamera zrobiła najazd, a wtedy wszyscy mogli się naocznie przekonać, że w środku szklanej kabiny nie ma nikogo. Ośmioro terrorystów weszło do środka i zabrało ze sobą bombę.

5
Marsjanie

W hotelu kosmicznym nie było już bujania w powietrzu, o co zatroszczyła się grawitownica. Kiedy owocnie zakończono cumowanie, pan Wonka, Charlie, dziadek Joe oraz państwo Bucketowie mogli spokojnie opuścić wielką szklaną windę i wejść do wielkiego holu, ponieważ jednak obie babcie i dziadek George od ponad dwudziestu lat nie używali nóg, więc ani myśleli zmieniać teraz swoje zwyczaje. Kiedy tylko znaleźli się w polu grawitacyjnym, natychmiast wskoczyli do łóżka i zażądali, aby ich do wnętrza hotelu wraz z nim wtoczono.

Charlie rozglądał się po wielkim pomieszczeniu szeroko otwartymi oczami. Podłogę zaściełał gruby zielony dywan. Z sufitu zwieszało się dwadzieścia ogromnych, migotliwych żyrandoli. Na ścianach wisiały drogie obrazy i wszędzie rozpierały się głębokie fotele. Po drugiej stronie znajdowały się wejścia do pięciu wind. Wszyscy z zapartym tchem patrzyli na te luksusy, nikt nie śmiał się odezwać. Pan Wonka ostrzegł ich, że każde wymówione słowo natychmiast zostanie przekazane do Centrum Kontroli Lotów w Houston, więc wszyscy woleli trzymać język za zębami. Spod podłogi dochodziło ciche buczenie, ale to tylko podkreślało panującą ciszę. Charlie mocno ściskał rękę dziadka Joe. Nie był pewien, czy rzeczywiście podoba mu się ta eskapada. Włamali się do największego w dziejach statku kosmicznego, który był własnością Stanów Zjednoczonych. Co zatem się z nimi stanie, kiedy zostaną schwytani? A nie wątpił, że w końcu do tego dojdzie. Czy resztę życia spędzą w więzieniu? A może przytrafi im się coś jeszcze gorszego?

Pan Wonka napisał coś w swoim notatniku i pokazał go wszystkim.

KTO JEST GŁODNY?

Trójka staruszków w łóżku zaczęła rozpaczliwie machać rękami, kiwać głowami oraz otwierać i zamykać usta. Pan Wonka przewrócił kartkę i napisał po drugiej stronie:

KUCHNIE HOTELOWE SĄ WYPCHANE NAJRÓŻNIEJSZYMI SMAKOŁYKAMI: HOMARAMI, STEKAMI, LODAMI. WYPRAWIMY SOBIE UCZTĘ NAD UCZTAMI.

Znienacka z umieszczonego gdzieś głośnika huknęło:

— Uwaga!!!

Charlie podskoczył z wrażenia. Podobnie dziadek Joe. Podskoczyli wszyscy, włącznie z panem Wonką, a z głośnika płynęły słowa:

DO OŚMIORGA OBCYCH ASTRONAUTÓW! TUTAJ CENTRUM KONTROLI LOTÓW W HOUSTON, W AMERYKAŃSKIM STANIE TEKSAS. WKROCZYLIŚCIE NA TEREN BĘDĄCY WŁASNOŚCIĄ STANÓW ZJEDNOCZONYCH AMERYKI PÓŁNOCNEJ!

MACIE BEZZWŁOCZNIE WYJAŚNIĆ, KIM JESTE-
ŚCIE! NATYCHMIAST!

— Sza! — szepnął pan Wonka i przyłożył palec
do ust. Przez kilka sekund panowała grobowa cisza i tylko pan Wonka bezgłośnie powtarzał swoje:
— Sza! Sza!

— KIM JESTEŚCIE? — powtórzył głos z Houston, a słyszał to cały świat. — POWTARZAM: KIM
JESTEŚCIE?

Ponowione pytanie było pełne irytacji, a pięćset
milionów ludzi zastygło przed telewizorami w oczekiwaniu na odpowiedź tajemniczych gości hotelu
kosmicznego „USA". Nie było ich widać na ekranach, gdyż w holu nie zamontowano żadnych ka-
mer. Pozostała jedynie łączność głosowa. Widzowie
mogli spoglądać tylko na wielki hotel, śladem którego sunął po orbicie prom z Shuckworthem, Shank-
sem i Showlerem za sterami. Cały świat wstrzymał
oddech na pół minuty. Odpowiedzi jednak nie było.

— GADAĆ! GADAĆ! GADAĆ! — zagrzmiało z głośnika, a ponieważ każde „Gadać" było głośniejsze od
poprzedniego, Charlie miał wrażenie, że zaraz pękną
mu bębenki w uszach. Babcia Georgina schowała
się pod kołdrą. Babcia Josephine zatkała sobie palcami uszy. Dziadek George wcisnął twarz w po-
duszkę. Przerażeni państwo Bucketowie znowu
rzucili się sobie w ramiona. Charlie rozpaczliwie
wczepił się w dłoń dziadka Joe, obaj zaś błagali
spojrzeniami pana Wonkę, żeby coś zrobił. Ten
wprawdzie wydawał się spokojny, ale śmiało można
było przypuścić, że jego rzutki umysł pracował teraz na najwyższych obrotach.

— TO WASZA OSTATNIA SZANSA!!! — grzmiał głos. — RAZ JESZCZE PYTAM: C O W Y Z A J E D N I? ODPOWIEDZCIE NATYCHMIAST! JEŚLI NIE POSŁUCHACIE, BĘDZIEMY MUSIELI WAS UZNAĆ ZA WROGÓW STANÓW ZJEDNOCZONYCH, CO SPRAWI, ŻE WŁĄCZYMY ALARMOWE OZIĘBIANIE I TEMPERATURA WEWNĄTRZ HOTELU KOSMICZNEGO SPADNIE DO MINUS STU STOPNI, A WY WSZYCY NATYCHMIAST ZAMARZNIECIE. MACIE PIĘTNAŚCIE SEKUND NA ODPOWIEDŹ, POTEM ZAMIENICIE SIĘ W BRYŁKI LODU... RAZ... DWA... TRZY...

— Dziadku! — szepnął Charlie, podczas gdy liczenie trwało. — T r z e b a coś zrobić! Trzeba! I to jak najszybciej!!!

— SZEŚĆ!... SIEDEM!... OSIEM!... DZIEWIĘĆ!...

Pan Wonka nawet nie drgnął. Wpatrywał się przed siebie z twarzą tak pozbawioną wyrazu, jak gdyby cała ta sytuacja zupełnie go nie interesowała. Charlie i dziadek Joe gapili się na niego przerażeni i nagle zobaczyli, jak kąciki oczu marszczą mu się w uśmiechu, a potem pan Wonka wspiął się na palce, okręcił w piruecie, zrobił kilka tanecznych kroków, by wreszcie znieruchomieć i zawyć niezwykłym głosem:

— FIMBO FIIZ!!!

Głośnik przestał odliczać. Zapadła cisza. Nie tylko w hotelu kosmicznym. Cisza zapadła na całym świecie.

Charlie nie spuszczał oczu z pana Wonki, który najwyraźniej szykował się do następnej przemowy. Zaczerpnął powietrza do płuc i krzyknął na całe gardło:

— BUNGO BUNI!!!

Włożył w to tyle wysiłku, że aż stanął na samych koniuszkach palców:

— BUNGO BUNI
DAFU DUNI
JUBII LUNI!!!

I dalej cisza.

Kiedy pan Wonka znowu przemówił, jego słowa
były krótkie i szybkie niczym seria z karabinu ma-
szynowego:

— ZUNK-ZUNK-ZUNK-ZUNK-ZUNK!

Echo odbijało się od ścian holu w hotelu kosmicznym i od niezliczonych ścian na Ziemi. Pan
Wonka tymczasem odszukał na suficie głośnik
i zrobił parę kroków w tym kierunku, jak człowiek,
który chce być odrobinę bliżej rozmówcy, a następnie cichszym głosem i trochę wolniej, jednak
dobitnie wymawiając każde słowo, oznajmił:

— KIRASUKU MALIBUKU,
MY SOM ROBI WAMA KUKU!

ALIPENDA KAKAMODA
SZAWA GARŁA RŻNIĘTA PODA!

FUIKICI KANDERICI,
MY WIELIKA WAMA KICI!

POPOKORCIA BURAMARCIA
WIELKA RYZKA NAMA DARCIA!

KATIKATI SIĄCY JAZDY
MARS POLOPEC WENUS GAZDY!

Pan Wonka zawiesił głos na kilkanaście sekund, głęboko odetchnął, a potem przeraźliwie zawył:

— KITIMBIBI ZUNK!
FUMBOLEEZI ZUNK!
GUGUMIZA ZUNK!
FUMIKAKA ZUNK!
ANAPOLALA ZUNK ZUNK ZUUUNK!!!

Przez cały świat jakby przeleciał potężny dreszcz. W Centrum Kontroli Lotów, w Białym Domu w Waszyngtonie, w pałacach, wieżowcach i lepiankach rozsianych po całym świecie od Grenlandii po Ziemię Ognistą, od Syberii po Japonię, pięćset milionów ludzi słysząc ten dziki głos i jego magiczne, groźne słowa, zadrżało z przerażenia. Jedni patrzyli bezradnie na drugich i pytali:

— Kto to jest? Co to za język? Skąd się wzięli?

W prezydenckim gabinecie w Białym Domu wiceprezydent Tibbs, członkowie gabinetu, dowódcy armii, połykacz mieczy z Afganistanu, główny doradca finansowy i kotka Pani Taubsypuss — wszyscy zesztywnieli z przejęcia i strachu. Tylko prezydent zachował zimną krew i jasną myśl.

— Nianiu! — zawołał. — No i co teraz?!

— Zaraz dam ci szklankę gorącego mleczka — powiedziała pani Tibbs.

— Nie, nie, nie znoszę gorącego mleczka!!!

— Wezwij głównego translatora — zasugerowała pani Tibbs.

— Wezwać głównego translatora — zawołał prezydent. — Gdzie on jest?

— Już jestem, panie prezydencie — odezwał się główny translator.

— Jakiego języka używają te maszkary, które zajęły nasz hotel kosmiczny? Mówić mi zaraz! Eskimoskiego?

— To nie jest eskimoski, panie prezydencie.

— No to tagalog. Tagalog albo ugro, mam rację?

— Nie, panie prezydencie. Ani tagalog, ani ugro.

— Pewnie tulu zatem? A może tungus albo tupi?

— Z pewnością nie tulu, panie prezydencie. Także nie tungus ani tupi.

— Nie mów nam, durniu, jaki n i e j e s t! — obruszyła się pani Tibbs. — Gadaj zaraz, jaki to j e s t język.

— Oczywiście, pani wiceprezydent, oczywiście — powiedział główny translator i nerwowo zatarł ręce. — Proszę mi wierzyć, panie prezydencie — błagalnym wzrokiem patrzył teraz w oczy Gilligrassowi — że nigdy w życiu nie słyszałem takiego języka.

— Zdawało mi się, że znacie wszystkie języki świata.

— Tak jest, panie prezydencie, wszystkie.

— Proszę mi tu nie łgać w żywe oczy! Jak możecie znać wszystkie języki na świecie, jeśli nie znacie tego jednego?

— To nie jest język z tego świata, panie prezydencie.

— Co za bzdury, ty półgłówku! — syknęła pani Tibbs. — Ja sama rozumiałam piąte przez dziesiąte!

— Ci ludzie, pani wiceprezydent, najwidoczniej nieudolnie próbowali nauczyć się naszych najprostszych słów, ale ich języka nikt na Ziemi dotąd nie słyszał!

— Na jadowitą tarantulę! — wykrzyknął prezydent, którego wyraźnie opuszczało opanowanie. — Chcecie powiedzieć, że... że... że oni są... że p r z y-l e c i e l i...

— Otóż to, panie prezydencie.

— Skąd?

Główny translator wzruszył ramieniem.

— Nie wiem na pewno, ale chyba zwrócił pan uwagę na to, że wymienili Wenus i Marsa?

— Pewnie, że zwróciłem, ale co to ma... Aaaa, już wiem, co sugerujecie! Wiem! Marsjanie!!!

— I Wenusjanie — dodał główny translator.

— Mogą być nie lada kłopoty — powiedział wyraźnie zafrasowany prezydent.

— Oj, mogą! — zgodził się główny translator.

— Nikt cię nie prosił o zdanie — skarciła go pani Tibbs.

— Co radzicie, generale? — zwrócił się prezydent do szefa wojsk lądowych.

— Esktrasuperplodować! — wrzasnął generał.

— Nic tylko byście wysadzali i eksplodowali — żachnął się prezydent. — Nie potraficie wymyślić nic innego?

— Ale ja tak lubię eksplozje. Wybuchy. Taki śliczny jest przy tym huk. Buuum!

— Dość tych głupot! — powiedziała pani Tibbs.

— Jeśli wysadzimy ich w próżnię, Mars wypowie nam wojnę! Podobnie Wenus!

— Słusznie, Nianiu — podchwycił prezydent.

— Wystrzelają nas jak przepiórki, wygniotą jak ziemniaki!

— Już ja im pokażę! — wrzasnął szef wojsk lądowych.

— Dosyć! Jesteś zwolniony! — warknęła pani Tibbs.

— Huraaa! — zawołali wszyscy inni genera-
łowie. — Brawo, pani wiceprezydent.

— Musimy się z nimi o b c h o d z i ć w rękawicz-
kach — stanowczo rzekła pani Tibbs. — Szczególnie
groźny wydaje się ten, który mówił ostatni. Musimy
ich ugłaskać, ułagodzić. Ostatnie, czego chcemy, to
inwazji z Marsa! Musisz z nimi porozmawiać! —
zwróciła się do prezydenta. — Niech Houston za-
łatwi nam bezpośrednie połączenie z hotelem kosmicznym. I to jak najszybciej!

6

Zaproszenie do Białego Domu

— Przemówi teraz do was prezydent Stanów Zjednoczonych Ameryki Północnej — oznajmił głośnik w hotelu kosmicznym.

Babcia Georgina wyjrzała ostrożnie spod kołdry, babcia Josephine odetkała uszy, dziadek George przestał chować twarz w poduszce.

— Sam będzie teraz do nas mówił? — szepnął z niedowierzaniem w głosie Charlie.

— Sza! — uciszył go pan Wonka. — Słuchaj!

— Drodzy przyjaciele — usłyszeli znajomy głos prezydenta Gilligrassa. — Drodzy, d r o d z y przyjaciele! Witamy w hotelu kosmicznym „USA". Serdecznie pozdrawiamy dzielnych astronautów z Marsa i Wenus...

— Marsa i Wenus! — nie wytrzymał Charlie. — Czyżby on myślał, że my...

— Ciii! — syknął pan Wonka i zaniósł się bezgłośnym śmiechem, przestępując z nogi na nogę.

— Przebyliście długą drogę — ciągnął prezydent — więc czemu nie zrobić jeszcze jednego malutkiego kroku? Czemu nie mielibyście n a m złożyć wizyty tutaj, na naszej malutkiej Ziemi? Całą waszą ósemkę zapraszam jako honorowych gości do Waszyngtonu. Możecie tym swoim wspaniałym szklanym statkiem kosmicznym wylądować na trawniku za Białym Domem. Rozłożymy dla was nasz uroczysty czerwony dywan i będziemy czekać. Mam nadzieję, że znacie nasz język na tyle, żeby mnie zrozumieć. Czekam niecierpliwie na odpowiedź...

Rozległ się lekki trzask i prezydent się wyłączył.

— Ale fantastyczna okazja — szepnął dziadek Joe. — Charlie, Biały Dom, pomyśl tylko! Honorowi goście Białego Domu!

Chwycili się za ręce i odtańczyli taniec radości.

Pan Wonka, dalej bezgłośnie się zaśmiewając, przysiadł na łóżku i dał znak wszystkim, żeby się zbliżyli, co pozwoli im porozumiewać się szeptem bez niebezpieczeństwa, iż podsłuchają ich ukryte mikrofony.

— Są śmiertelnie wystraszeni — szepnął. — Nic nam już teraz nie zrobią, a w takim razie urządźmy sobie ucztę, a potem rozejrzymy się po hotelu.

— A czy polecimy do Białego Domu? — spytała babcia Josephine. — Chcę się tam znaleźć i zobaczyć prezydenta.

— Szanowna leciwa damo! — mruknął pan Wonka. — Taka jesteś podobna do Marsjanki jak do karaluszki. Natychmiast się zorientują, że ich nabraliśmy, i zaaresztują nas, zanim zdążymy się odezwać.

Pan Wonka miał rację. Wszyscy wiedzieli, że nie ma mowy o przyjęciu zaproszenia prezydenta.

— Ale c o ś musimy mu powiedzieć — szeptał gorączkowo Charlie. — Siedzi tam teraz w Białym Domu i czeka na odpowiedź.

— Trzeba się jakoś wykręcić — powiedział pan Bucket.

— Można powiedzieć, że jesteśmy już umówieni gdzieś indziej — dodała pani Bucket.

— Macie rację — szepnął pan Wonka. — To bardzo nieładnie zignorować zaproszenie.

Wstał z łóżka, odszedł kilka kroków od reszty grupy i na chwilę znieruchomiał, zbierając myśli. Potem Charlie raz jeszcze zobaczył, jak wokół oczu Wonki pojawiają się wesołe zmarszczki, a kiedy

przemówił, tym razem głos miał głęboki, diaboliczny, donośny i bardzo powolny:

— *W rząskim, smarczym zabagnisku,*
Gdzie czyhai łapcza muć,
O godzinie widmoduchej
Do dom szlai się pogrób.

Słysz je pełzne i jadowe,
Kiedy szmują się przez pruch,
Wypełzane i wyślizgłe,
Szurna pora, grach i struż.

Uciekajmy, chyż i rada,
Gęstwy, chraka, rupa, grań,
Pogrób, pogrób się nasparza!
Ach, gdzie będzie nasza stań?!

Dwieście czterdzieści tysięcy mil niżej prezydent pobladł tak jak Biały Dom.

— Do kroćset! — zawołał. — Chcą nas zaatakować!

— Dajcie mi ich zbombardować! Zarakietować! — wyrwał się znowu generał wojsk lądowych. — P r o s z ę!

— Dość już tego! — fuknęła pani Tibbs. — Marsz do kąta!

Tymczasem w holu wielkiego hotelu kosmicznego pan Wonka na chwilę zamilkł i zbierał się do wygłoszenia następnej zwrotki, kiedy nagle zmroził go przeraźliwy wrzask. Wrzeszczała babcia Josephine, która siedząc na łóżku, drżącym palcem wskazywała w stronę wind znajdujących się na przeciwległej ścianie. Krzyknęła po raz drugi, nadal wskazując palcem, i wszyscy spojrzeli w kierunku wind. Drzwi jednej z nich powoli rozsunęły się, a w środku zobaczyli... coś... Coś pękatego... Coś pękatego i brązowego... Może nie do końca brązowego, a raczej zielonkawobrązowego... Ze śliską skórą i wielkimi oczyma...

7

Coś wstrętnego w windzie

Babcia Josephine przestała krzyczeć, gdyż strach ją sparaliżował. Cała reszta, łącznie z Charliem i dziadkiem Joe, także skamieniała. Nikt nie śmiał się poruszyć. Ledwie ważyli się oddychać. Nie inaczej było z panem Wonką, który obrócił się szybko dookoła, kiedy rozległ się pierwszy krzyk. Teraz stał bez ruchu, wpatrywał się w windę z lekko rozchylonymi ustami i oczami wielkimi jak dwa spodki.

Podobnie jak wszyscy pozostali widział coś, co najbardziej przypominało wielkie jajko stojące na zaostrzonym końcu. Było wielkości kilkunastoletniego chłopca, a szersze od najgrubszego mężczyzny. Zielonkawobrązowa skóra była gładka, śliska i pomarszczona. Mniej więcej na dwóch trzecich wysokości, w najszerszym miejscu, znajdowała się para ogromnych, okrągłych oczu — białych z czerwonymi błyszczącymi źrenicami pośrodku. Źrenice te wpatrywały się w tej chwili w pana Wonkę, zaraz jednak przeniosły się powoli na Charliego, potem na dziadka Joe i tak zatrzymywały po kolei na każdym z grupy swój chłodny, złowrogi wzrok. Oczy były wszystkim. Nie było żadnego nosa, ust czy uszu, natomiast skóra leciutko, bardzo leciutko falowała, tu grubiejąc, tam się zapadając, jak gdyby pod nią znajdowała się jakaś płynna maź.

W pewnej chwili Charlie zobaczył na sąsiedniej windzie migające cyferki, świadczące o tym, że kabina zjeżdżała: 6...5...4...3...2...1...P. Chwila ciszy, następnie drzwiczki się rozsunęły, a za nimi ukazało się... takie samo zielonkawobrązowe stworzenie przypominające jajko z ogromnymi ślepiami!

Cyferki zaczęły migać także w pozostałych trzech windach. Wszystkie trzy zjeżdżały... zjeżdżały... zjeżdżały... wszystkie trzy dokładnie w tej samej chwili osiągnęły parter... we wszystkich trzech jednocześnie rozsunęły się drzwiczki... Było już pięcioro otwartych drzwi... w każdej windzie jedno stworzenie... pięcioro stworzeń... I teraz już pięć par wielkich oczu o błyszczących czerwonych źrenicach wpatrywało się w pana Wonkę, Charliego i jego rodzinę.

Pięcioro stworzeń różniło się odrobinę co do rozmiaru i kształtu, ale wszystkie pokryte były taką samą zielonkawobrązową, wilgotną, pomarszczoną skórą, która delikatnie falowała.

Przez jakieś trzydzieści sekund nie działo się nic. Nikt się nie poruszył, nikt się nie odezwał. Cisza była przeraźliwa. Charlie był tak przestraszony, że czuł gęsią skórkę. I nagle stworzenie w windzie najbardziej na lewo powoli zaczęło zmieniać kształt! Powoli, bardzo powoli stawało się dłuższe i dłuższe, cieńsze i cieńsze, smuklejsze i smuklejsze, wyciągało się w górę aż po sufit windy, ale dotarłszy prawie do niego, odgięło się nieco w prawo, zwinęło, wyginając się niczym wąż, potem spuściło się w dół, potem w lewo, zawróciło w prawo i powróciło do samego siebie, zakreślając coś na podobieństwo brzuszka, u którego spodu znalazły się dwa oczyska.

Potem stworzenie w następnej windzie zaczęło wyginać się w podobny sposób — cóż to był za nie-

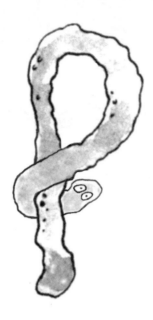

samowity i oślizgły widok! Skręcało się w kształt nieco tylko odmienny od pierwszego, ale ułatwiło sobie zadanie z utrzymaniem równowagi.

Następnie trzy pozostałe stworzenia rozpoczęły jednoczesny taniec wyginania się. Każdy stwór wyciągał się powoli w górę, stawał się wyższy i wyższy, cieńszy i cieńszy, wyginał się i skręcał, naprężał i naprężał, falował i przeginał, balansując albo na ogonie, albo na głowie, choć najchętniej na ogonie, tak jakby każdy z nich wolał spoglądać na wszystko z góry. Kiedy już wszystkie stworzenia zakończyły te swoje wygibasy, wyglądało to mniej więcej tak:

— P r e c z!!! — wykrzyknął pan Wonka. — Uciekajmy! Szybko!

Nie było w tej chwili człowieka, który poruszałby się szybciej od dziadka Joe, Charliego i jego rodziców. Porwali za łóżko i pchając je, rzucili się do ucieczki, a przed nimi gnał pan Wonka i darł się jak opętany:

— Uciekać! Uciekać! Uciekać!

Nie minęło dziesięć sekund, a wszyscy znaleźli się w wielkiej szklanej windzie. Pan Wonka gorączkowo, błyskawicznymi jak myśl ruchami zdjął zaczepy cumownicze i wcisnął odpowiednią kombinację guzików. Drzwiczki windy miękko się zamknęły, ona sama zaś gwałtownym skokiem odłączyła się od hotelu kosmicznego. Udało się! Nie muszę chyba dodawać, że cała ósemka, łącznie z łóżkiem, znowu uniosła się w powietrze.

8

Obleńcowe Skręty

— Olaboga! Olaboga! — ciężko dyszał pan Wonka. — Parne majtki! Marne pajdki! Niech to słoń zasłoni! Żebym już nigdy w życiu czegoś t a k i e g o nie zobaczył!

Podpłynął do białego guzika i nacisnął go kilkakroć. Winda pognała takim pędem, że hotel kosmiczny „USA" już po chwili zamienił się w mały punkcik.

— Ale c o t o takiego było? — spytał Charlie.

— Czyżbyś n i e w i e d z i a ł? — zawołał ze zdumieniem pan Wonka. — No to prawdziwy szczęściarz z ciebie! Gdybyś miał chociaż najmniejsze wyobrażenie o tym, przed jakim stanęliśmy niebezpieczeństwem, szpik by ci zastygł w kościach. Skamieniałbyś ze strachu, a stopy wrosłyby ci w ziemię. A wtedy byłoby już po tobie. Wpadłbyś jak śliwka w kompot. Rozerwałyby cię na tysiąc kawałków, starły jak ser i żywcem wessały, z twoich kostek zaś zrobiłyby sobie naszyjniki, a z zębów bransoletki! Albowiem, mój drogi, nieświadomy niczego chłopcze, są to najbardziej brutalne, mściwe, podstępne i mordercze istoty w całym Wszechświecie! A więc... — Pan Wonka przeciągnął końcem języka po wargach. — ...Obleńcowe Skręty, ni mniej, ni więcej!

— Myślałem, że to ten pogrób... te pełzające pogroby, o których mówił pan prezydentowi.

— Gdzie tam, chciałem tylko wystraszyć tych
z Białego Domu — odparł pan Wonka. — Wymy-
śliłem to w jednej chwili, sam nawet nie wiem: pogrób czy pogroby. Ale to nie miało nic wspólnego
z Obleńcowymi Skrętami. Jak wszyscy wiedzą,
żyją one na planecie Obleń, która leży osiemnaście
miliardów czterysta dwadzieścia siedem milionów
mil stąd i są naprawdę bardzo, bardzo przebiegłe.
Obleńcowy Skręt może przybrać kształt, jaki chce.
Nie ma kości, a jego ciało to tak naprawdę jeden
ogromny mięsień, niezwykle silny, ale zarazem
elastyczny i giętki, trochę jak mieszanina gumy,
plasteliny i stali. Normalnie ma jajowaty kształt,
ale bez trudu może ułożyć się w dwie nogi — jak
u człowieka, czy w cztery — jak u konia. Może się
zrobić okrągły jak kula albo długi i cienki jak sznu-
rek od latawca. Dorosły Obleńcowy Skręt może
w jednej chwili wyciągnąć się na pięćdziesiąt jardów i odgryźć ci głowę, a cała reszta ciała w tym
czasie ani drgnie!

— A jak odgryźć? — spytała babcia Georgina.
— Nie widziałam, żeby miały jakieś pyski.

— Mają różne inne urządzenia do odgryzania.

— Jakie na przykład? — nastawała babcia
Georgina.

— Mniejsza z tym. Ale przyszło mi właśnie do
głowy coś zabawnego. Myślałem, że nabieram prezydenta, udając, że jesteśmy przybyszami z ja-
kichś innych planet, a tymczasem rzeczywiście ci
przybysze s i ę z j a w i l i!

— Myśli pan, że jest ich tam więcej? — spytał Charlie. — Więcej niż pięć, które widzieliśmy?

— Tysiące! — oznajmił z przekonaniem pan Wonka. — W hotelu jest pięćset pokoi i przypuszczam, że co najmniej po trzy przypadają na każdy pokój!

— No to kogoś czeka nieprzyjemna niespodzianka, kiedy się znajdzie na pokładzie — zauważył dziadek Joe.

— Zjedzą wszystkich gości jak orzeszki — powiedział pan Wonka.

— Mówi pan serio? — spytał Charlie.

— Oczywiście. Obleńcowe Skręty to postrach całego Wszechświata. Podróżują w przestrzeni wielkimi stadami, lądują na jakiejś gwieździe czy planecie i niszczą wszystko, co tam znajdą. Kiedyś Księżyc zamieszkiwały bardzo sympatyczne istotki, który nazywały się Pluszkami. Skręty wszystkie je zjadły. Tak samo stało się na Wenus, Marsie i innych planetach.

— To dlaczego nie zaatakowały Ziemi i nie pożarły nas wszystkich? — spytał Charlie.

— Próbowały, Charlie, próbowały, i to nie jeden raz, ale im się nie udawało. Widzisz, naszą Ziemię otacza gęsta atmosfera i każde ciało, które w nią wpada z wielką prędkością, rozgrzewa się do czerwoności. Wracające na naszą Ziemię kabiny kosmiczne pokryte są specjalnym, odpornym na wysokie temperatury materiałem, a ich prędkość zostaje zredukowana do dwóch tysięcy mil na godzinę najpierw przez rakiety hamujące, a potem przez coś, co nazywa się „tarciem". A przecież i tak są solidnie przypalone. Ponieważ Skręty nie mają żadnego ognioodpornego materiału ani rakiet hamujących, spalają się, zanim jeszcze przebędą połowę drogi przez atmosferę. Widziałeś może kiedyś spadającą gwiazdę?

— Widziałem i to nie jedną — odparł Charlie.

— No to dowiedz się, że nie ma żadnych spadających gwiazd, a są tylko spadające Skręty, które usiłują przedrzeć się przez atmosferę i dobrać do naszej Ziemi.

— Ale jeśli już są takie dzikie i mordercze — powiedział Charlie — to dlaczego nie pożarły nas tam na miejscu, tylko ułożyły się w napis „Precz"?

— Popisywały się — odpowiedział pan Wonka. — Są bardzo dumne z tego, że potrafią pisać samymi sobą.

— A dlaczego napisały „Precz", skoro chciały nas schwytać i pożreć?

— To jedyne słowo, jakie znają.

— P a t r z c i e! — wrzasnęła babcia Josephine i palcem wskazała iluminator. — Tam!!!

Jeszcze zanim Charlie odwrócił się do okna, dokładnie wiedział już, co zobaczy. Podobnie zresztą jak inni. Histeryczny głos starowinki mówił sam za siebie.

Obok ich windy sunął bez wysiłku olbrzymi Obleńcowy Skręt, gruby jak wieloryb, długi jak ciężarówka z dwiema przyczepami, z morderczą żądzą w wielkim ślepiu! Był od nich w odległości nie większej niż dwanaście jardów, jego jajowate ciało spowijała lśniąca, pomarszczona zielonkawobrązowa skóra, a jedyne widoczne oko z czerwoną źrenicą łakomie wpatrywało się w pasażerów wielkiej szklanej windy!

— Koniec z nami! — krzyknęła babcia Georgina.

— Pożre nas wszystkich! — zawołała pani Bucket.

— Za jednym mlaśnięciem! — dorzucił pan Bucket.

— Jest już po nas, Charlie — powiedział dziadek Joe, a wnuk tylko kiwnął głową, gdyż gardło miał zduszone trwogą.

Tym razem jednak pan Wonka nie wpadł w panikę. Sprawiał wrażenie całkowicie spokojnego.

— Zaraz sobie z tym poradzimy! — powiedział, natychmiast nacisnął sześć guzików i jednocześnie sześć rakiet wyleciało spod windy, ta zaś pomknęła do przodu, przyspieszając z każdą chwilą, ale wielki zielonkawobrązowy potwór nie został ani odrobinę z tyłu.

— Niech on odejdzie od naszego okna! — krzyczała babcia Georgina. — Nie zniosę tego, że on na mnie patrzy!

— Miła pani, do środka się nie dostanie, nie ma takiej możliwości — powiedział pan Wonka. — Muszę przyznać, że tam w hotelu miałem trochę stracha i to nie bez powodu. Tutaj jednak nie mamy się czego bać. Nasza wielka szklana winda jest wstrząsoodporna, wodoodporna, bomboodporna, kuloodprona i także Skrętoodporna! Proszę się zatem rozluźnić.

I pan Wonka zadeklamował:

— Tyś jest Skręt, złośliwy, wstrętny,
Śliski, wredny i pokrętny!
Strachu już w nas nie wywołasz,
Bo się dostać tu nie zdołasz.
Więc uciekaj, boś przybłędny!

Potężny Skręt zawrócił i zaczął oddalać się od windy.

— Proszę — zawołał triumfalnie pan Wonka. — Usłyszał mnie i wraca do siebie!

Pan Wonka mylił się jednak. Kiedy potwór był o jakieś sto jardów od windy, zatrzymał się, uniósł się na moment, a potem z rosnącym przyspieszeniem pomknął z powrotem, atakując swym tylnym, zaostrzonym końcem. Wyglądało to tak, jakby mknął ku nim wielki pocisk, a wszystko działo się tak szybko, że nikt nawet nie zdążył krzyknąć.

ŁUUUP!

Skręt wyrżnął w windę, ta zatrzęsła się cała, szkło jednak wytrzymało uderzenie, a potwór odbił się niczym gumowa kula.

— A nie mówiłem?! — zawołał triumfalnie pan Wonka. — Jesteśmy tu bezpieczni jak parówki w osłonce.

— Przynajmniej teraz łeb go od tego rozboli — zauważył dziadek Joe.

— Nie łeb, ale spód! — sprostował Charlie. — Patrzcie, jaki guz mu tam rośnie. Czarnogranatowy!

I rzeczywiście na zaostrzonym końcu Obleńcowego Skręta wyrósł ciemny guz wielkości samochodu.

— Masz za swoje, ty obrzydliwcze! — krzyknął pan Wonka. I ciągnął, wymachując do rytmu:

— Co tam, Skręcie, u pana, nic nie pobolewa?
W dziwne jakieś kolory tyś się dziś przystroił,
Coś czarnogranatowo u spodu nabrzmiewa,
Czyżbyś Skrętny Obleńcu brzydkiego coś zbroił?

Czasem panu nie słabo, w głowie się nie kręci?
Przydałaby się może z lodu jakaś plomba,
Bo na ile widzimy, niech to wszyscy święci,
Guz ci na tyłku rośnie ogromny jak bomba.

Może chciałbyś lekarza, żeby ci poręczyć?
Znam jednego, co dobry jest wielce dla Skrętów.
W rzeźni kunsztów medycznych czas się miał
                                        nauczyć,
Honorarium nieduże, bez żadnych przekrętów.

„Ach, doktorze, to miło, że pan taki kawał
Zechciał tu się pokwapić, wielki szmat Kosmosu,
Oto pacjent, guz wielki mu się uformował,
Czy nie jest to poważne zagrożenie losu?"

„Wielkie nieba! Wciórności! Pobladł — nic
                                        dziwnego",
Mówi lekarz i dziwnie się przy tym uśmiecha.
„Wielki balon na końcu ma ogona swego,
Trza go przekłuć lub naciąć, choć to nie uciecha!"

Wnet z torby ci dobywa ostrza jard dobrego,
Dobrze się nim przymierzy, potężnie zamachnie,
I wrazi w zakończenie swojego chorego,
A chociaż dobrze trafia — balon ani trachnie!

„A-ja-jaj", Skręt wykrzyknie głośno i boleśnie.
„Przyszłość, jaka mnie czeka, co mi robić przyjdzie?
Czyżbym stać już wciąż musiał na jawie i we śnie,
Skoro usiąść nie mogę na tylnym narządzie?"

„Rzecz to może i przykra, pan doktor odpowie,
Lecz zaradzić ja na to już wiele nie mogę,
Będziesz musiał, waćpanie, siadywać na głowie,
A w górze trzymać tyłek czy tę swoją nogę!"

9

Połknięci

W dniu, kiedy to wszystko się rozgrywało, nie pracowała ani jedna fabryka na świecie. Zamknięte były wszystkie urzędy i szkoły. Nikt nie odchodził od telewizora nawet na te kilka chwil, których potrzeba, aby kupić colę czy przewinąć dziecko. Panowało nieznośne napięcie. Wszyscy słyszeli, jak prezydent Stanów Zjednoczonych zaprasza do Białego Domu przybyszów z Marsa. Wszyscy słyszeli tajemniczy wiersz, który zabrzmiał bardzo groźnie. Wszyscy chwilę później słyszeli przeraźliwy pisk babci Josephine i okrzyk: „Uciekać! Uciekać! Uciekać!" (pana Wonki). Nikt nie wiedział, co o tym wszystkim myśleć. Po części składano to na karb osobliwości marsjańskich obyczajów, kiedy jednak ośmioro astronautów pędem opuściło hol hotelu kosmicznego i czym prędzej oddzieliło od niego swój pojazd kosmiczny, niemal można było usłyszeć potężne westchnienie ulgi, które przetoczyło się przez całą Ziemię. Do Białego Domu sypnęły się telegramy i rozdzwoniły się w nim telefony, a wszystkie z gratulacjami dla prezydenta, że tak dzielnie się uporał z groźną sytuacją.

Sam prezydent zachował spokój i rozwagę. Siedział za biurkiem i ugniatał w palcach kawałek gumy do żucia. Czekał na moment, kiedy pani

Tibbs się odwróci, a on niepostrzeżenie będzie mógł cisnąć w nią gumą. Pani Tibbs się odwróciła, ale prezydent trafił nie w nią, lecz w nos głównodowodzącego lotnictwa.

— Jak myślicie, czy Marsjanie przyjęli moje zaproszenie do odwiedzenia Białego Domu? — prezydent zwrócił się do obecnych w gabinecie.

— Oczywiście, że przyjęli — powiedział sekretarz spraw zagranicznych. — To było wspaniałe wystąpienie, panie prezydencie.

— Pewnie właśnie są w drodze — wysunęła przypuszczenie pani Tibbs. — Idź i czym prędzej zmyj z palców tę gumę, mogą tu być lada chwila.

— Najpierw piosenka — sprzeciwił się prezydent. — Zaśpiewaj tę o mnie, Nianiu... Proszę.

PIOSENKA NIANI

Potężny człowiek, pieśń się zaczyna,
Najpotężniejszy na świecie,
Był kiedyś mały jak ta drobina,
Niecałe cala dwie trzecie.

Znałam go, kiedy drobny był jeszcze,
Sadzałam go na nocniku,
Piosnki śpiewałam, mówiłam wiersze,
Czekając, aż zrobi siku.

Brud wymywałam między palcami,
Cięłam paznokcie maciupcie,
Porządek szczotką robiłam z włosami,
Sprawdzałam, czy podtarł pupcię.

I tak radośnie spędzał dzieciństwo
Jak wszystkie inne dziatki,
Karą odkupiał każde złoczyństwo:
Zbił talerz czy zdeptał kwiatki.

Kiedy zasłużył, zbierał pochwały,
Atoli lęk zaczął chwytać:
Choć lat dziesiątki dwa mu stuknęły,
Nie umiał pisać ni czytać.

„I co z tym począć?", płaczą rodzice.
„Umysłu jak kot napłakał,
Przyjdzie mu chyba zamiatać ulice,
Oby do tego się nadał".

„Zaraz, chwileczkę", mówię ja na to,
„A czemu nie polityka?"
„Ach, Nianiu", krzyknie małe ladaco,
„Jest na to we mnie chęć dzika!"

„OK", powiadam, „zatem do dzieła,
Czas uczyć się polityki,
Jak niepotrzebnych rad się udziela,
Jak ankiet zmienia wyniki,
Jak czarne sprawki się, hops, wybiela —
I temu podobne triki.

W telewizorze jak występować
Każdego dnia po południu
I jak też w styczniu wyrok ferować
Zupełnie inny niż w grudniu.

A przede wszystkim, żeby kurować,
Włosy porządnie zawsze szczotkować,
I nie wyglądać na durnia".

Cztery dwudziestki i dziewięć latek,
Za późno już na poprawę!
Za moją sprawą taki gagatek
Wziął prezydenta posadę.

— Brawo, Nianiu! — zawołał prezydent i zaczął klaskać, a w jego ślady natychmiast poszła reszta obecnych. — Świetna robota, pani wiceprezydent! Brawo! Znakomicie!

Zaraz jednak Gilligrass się zaniepokoił.

— Do kroćset! Przecież ci Marsjanie będą tu lada chwila! Czym my ich powitamy? Gdzie mój arcykuchmistrz?

Arcykuchmistrz był Francuzem, a przy okazji trudnił się szpiegostwem. Ponieważ właśnie w tej chwili podglądał prezydencki gabinet przez dziurkę od klucza, więc mógł natychmiast zjawić się na wezwanie.

— *Ici, Monsieur le President!* — oznajmił, stając w progu.

— Arcykuchmistrzu, co się na Marsie jada na obiad? — spytał prezydent.

— Batoniki Mars.

— Pieczone czy gotowane?

— Och, pieczone, rzecz jasna, panie prezydencie. Marsy bardzo źle znoszą gotowanie!

Rozmowę przerwał głos Shuckwortha, który spytał z głośników:

— Czy mamy zgodę na przycumowanie do hotelu kosmicznego „USA" i wejście na pokład?

— Zgadzam się. Wchodźcie, Shuckworth. Dzięki mnie... macie drogę czystą.

Tak więc kosmiczny prom transportowy pilotowany przez Shuckwortha, Shanksa i Showlera, wioząc na pokładzie dyrektora, jego zastępców, recepcjonistów, kelnerki, pokojówki, chłopców na posyłki, kuchmistrza, kucharki i portierów, podpłynął do hotelu kosmicznego i zacumował.

— Ej, a co tam znowu się dzieje? — prychnął prezydent. — Straciliśmy obraz telewizyjny.

— Obawiam się, że kamera rozbiła się o bok hotelu — poinformował Shuckworth.

Prezydent mruknął do mikrofonu bardzo brzydkie słowo, które natychmiast z lubością powtórzyły miliony dzieci na całym świecie i w mniej czy bardziej stanowczy sposób zostały skarcone przez dziesiątki milionów rodziców.

— Wszyscy astronauci i sto pięćdziesiąt osób personelu bezpiecznie na pokładzie! — zameldował Shuckworth. — Stoimy teraz w holu!

— No i co o tym sądzicie? — spytał prezydent. Wiedział, że słucha ich cały świat, chciał więc, żeby Shuckworth powiedział, jaki zachwycający rozpościera się przed nimi widok. I Shuckworth nie zawiódł swego prezydenta.

— Niech mnie diabli, panie prezydencie, jeśli to wszystko nie jest po prostu e k s t r a! Wprost n i e d o w i a r y! To n a d z w y c z a j n e! Po prostu trudno znaleźć słowa, żeby to wyrazić, wszystko takie ogromne, dywany, żyrandole i w ogóle. Mam tutaj przy sobie dyrektora hotelu, pana Franka F. Fulla. Byłby zaszczycony, mogąc z panem porozmawiać.

— Dawaj go — powiedział Gilligrass.

— Panie prezydencie, tutaj Frank Full. Cóż za wyśmienity hotel! Wystrój — pierwsza klasa!

— A czy zauważył pan, panie Full, że wszystko tutaj jest na full? Dywany od ściany do ściany, ściany od podłogi do sufitu. Pełny full, żadnej szczeliny.

— Zauważyłem, panie prezydencie.

— To samo w spiżarkach. Zapakowane po brzegi, pełny full, panie Full. Piwo też — tylko full.

— Tak, panie prezydencie! To będzie prawdziwe wyzwanie dla mnie kierować takim pięknym... Ej! Zaraz! Co to takiego? Coś wyłazi z windy? Ratuuunkuuu! — Nagle z głośników w gabinecie prezydenckim popłynęły przeraźliwe krzyki i jęki: — Auuu! Ojojoj! Ojojoj! Ratunkuuuuuuuuuuuuuu!

— Co tam się dzieje, do diaska?! — prychnął prezydent. — Shuckworth, jesteście tam? Shanks! Showler! Panie Full! Gdzie się podzialiście? Co tam się dzieje?!

Krzyki nie milkły. Były tak głośne, że prezydent musiał sobie zatkać palcami uszy. W każdym domu na kuli ziemskiej, gdzie był odbiornik telewizyjny lub radiowy, słychać było przeraźliwe dźwięki, do których — obok wrzasków i jęków — dołączyły się chrząkanie, mlaski i trzaski. A potem zapadła głucha cisza.

Prezydent zajadle wywoływał przez radio hotel kosmiczny. Wywoływało hotel kosmiczny Centrum Kontroli Lotów w Houston. Prezydent porozumiał się z Centrum, a ono z prezydentem, po czym i on, i Centrum znowu spróbowali nawiązać kontakt z „USA". Bez skutku. Żadnej odpowiedzi. Kosmos milczał.

— Coś się tam stało złego! — mruknął ponuro prezydent.

— To na pewno ci Marsjanie — zasugerował zdymisjonowany dowódca wojsk lądowych. — Mówiłem, żeby dać mi ich zbombardować.

— Cisza! — obruszył się prezydent. — Muszę się zastanowić.

Głośnik zatrzeszczał.

— Halo? Halo, halo? Centrum, czy mnie słyszysz?

Prezydent chwycił za mikrofon.

— Houston, zostawcie to mnie. Tutaj prezydent Gilligrass, słyszę cię dobrze. Nadawaj!

— Tutaj astronauta Shuckworth, panie prezydencie. Z powrotem na pokładzie promu transportowego... d z i ę k i B o g u!

— Co tam się stało, Shuckworth? Kto jest z wami?

— Mogę pana pocieszyć, panie prezydencie, że jest nas tutaj sporo. Jest ze mną Shanks i Showler, a także trochę ludzi z personelu hotelowego. Sądzę, że straciliśmy kilkanaście osób, kuchmistrza, paru portierów, trochę pokojówek. Trzeba się było napocić, żeby ujść stamtąd z życiem.

— Jak to: ujść z życiem? Co to znaczy, że straciliście kilkanaście osób? W jaki sposób?

— Zostały połknięte! — wyjaśnił Shuckworth.

— Jedno kłapnięcie i po wszystkim! Na własne oczy widziałem, jak liczącego sobie sześć stóp wzrostu zastępcę dyrektora połknęło tak, jakby to była kulka lodów, panie prezydencie. Żadnego żucia, gryzienia, nic takiego, haps — i do środka!

— Ale o k i m mówicie? Kto taki połyka?

— O c h o l e r a! — krzyknął Shuckworth. — Niech mnie diabli, chcą się do nas zabrać! Wychodzą z hotelu! Ilu ich tam jest! Proszę mi wybaczyć, panie prezydencie, ale nie mam teraz czasu na rozmowy!

10

Prom transportowy w opałach — pierwszy atak

Podczas gdy Obleńcowe Skręty wynurzały się z hotelu kosmicznego, aby zaatakować Shuckwortha, Shanksa i Showlera, wielka szklana winda pana Wonki z wielką szybkością orbitowała wokół Ziemi. Ponieważ pan Wonka odpalił wszystkie rakiety, winda osiągnęła szybkość trzydziestu czterech tysięcy mil na godzinę zamiast normalnych siedemnastu tysięcy.

Jak się pewnie domyślacie, chcieli jak najdalej uciec od wielkiego i rozeźlonego Obleńcowego Skręta z purpurowym guzem na spodzie. Pan Wonka wprawdzie się go nie bał, ale babcia Josephine nie posiadała się ze strachu. Ile razy spojrzała w tamtym kierunku, wydawała z siebie przeraźliwy pisk i zakrywała oczy rękami, a przecież trzydzieści cztery tysiące mil to dla Skręta jest bagatelka. Dla zdrowego, młodego Skręta przebyć milion mil między obiadem a kolacją to betka, a jeszcze jeden milion zrobi dla zabawy przed jutrzejszym śniadaniem. Jakże bowiem inaczej mogłyby podróżować między Obleńcem a innymi gwiazdami?

Pan Wonka powinien był o tym wiedzieć i zachować sobie trochę rakiet manewrowych, a teraz sunęli wprawdzie przed siebie z wielką prędkością, ale Skręt płynął obok nich bez żadnego wysiłku i wpatrywał się w windę swym czerwonym ślepiem, jakby chciał powiedzieć: „Zrobiliście mi kuku, więc w końcu dostaniecie za swoje!"

Mknęli tak wokół Ziemi przez jakieś czterdzieści pięć minut, aż wreszcie Charlie, który lewitował wraz z dziadkiem Joe nieopodal sufitu, nagle powiedział:

— Coś tam jest przed nami! Widzisz, dziadku? Tam, na wprost!

— Tak, Charlie, widzę... Wielkie nieba, to przecież hotel kosmiczny!

— To niemożliwe, dziadku, przecież dawno temu zostawiliśmy go za sobą.

— Tyle że poruszamy się tak szybko — powiedział pan Wonka — iż dogoniliśmy go, bo poruszamy się po tej samej orbicie! Wspaniały wyczyn?!

— A tuż koło hotelu prom transportowy! Widzisz, dziadku?!

— Nie sam tylko hotel, jeśli się nie mylę — powiedział dziadek. — Widać tam coś jeszcze.

— J a w i e m, c o! — rozdarła się babcia Josephine. — Obleńcowe Skręty! Zawracajmy natychmiast!

— Zawracać! — przyłączyła się babcia Georgina. — W tył!!!

— Bardzo mi przykro, szanowna pani — powiedział pan Wonka — ale to nie autostrada, a my nie jedziemy samochodem. Na orbicie nie można się zatrzymać ani zawrócić.

— Nic mnie to nie obchodzi! — krzyczała bab-

cia Josephine. — Hamulce!!! Wsteczny bieg! Inaczej te Sleńcowe Okręty nas dopadną!

— Na miły Bóg, d o ś ć już tych nonsensów —
zawołał pan Wonka surowo. — Wiecie doskonale,
że moja winda jest całkowicie Skrętoodporna. Nie
macie się czego obawiać.

Byli już bliżej i teraz wyraźnie widzieli Skręty
wylewające się z hotelu i niczym rój szerszeni ota-
czające prom.

— Atakują prom! — krzyczał zbulwersowany
Charlie. — Chcą go zniszczyć!

Widok był okropny. Wielkie, zielonkawobrązowe
Skręty o jajowatych kształtach zbierały się w szwa-
drony po dwadzieścia w każdym. Ustawiwszy się
w szereg, jeden Skręt o jard od drugiego, odwracały
się zaostrzonymi tyłami i rozpędziwszy się do wielkiej szybkości, atakowały prom jeden szwadron po
drugim.

ŁUUUP! Jeden szwadron ugodził w bok statku, odbił się i rozproszył.

TRZAAASK! Drugi szwadron uderzył w burtę promu.

— Zabieraj nas stąd, ty szaleńcze! — krzyczała babcia Josephine. — Na co czekasz?

— Zaraz się do n a s wezmą! — rozpaczała babcia Georgina. — Zawracajże, na miłość boską!

— Nie wiem, czy ten ich prom jest na pewno Skrętoodporny — zafrasował się pan Wonka.

— Więc musimy im pomóc! — zawołał Charlie. — Trzeba coś zrobić. Tam na pokładzie jest sto pięćdziesiąt osób!

Na Ziemi, w Białym Domu, prezydent i jego doradcy pełni przerażenia słuchali przez radio głosów astronautów.

— Atakują nas raz za razem! — krzyczał Shuckworth. — Zrobią z nas miazgę.

— Ale k t o taki? — wołał prezydent. — Kto was atakuje? Nawet tego nie usłyszeliśmy!

— Jakieś obrzydliwe zielonobrązowe paskudy z czerwonymi ślepiami. Są podobne do gigantycznych jaj i atakują nas tyłem.

— Tyłem? — Gilligrass mało się nie zachłysnął.

— Dlaczego tyłem?

— Bo tył mają bardziej zaostrzony niż przód. Uwaga! — wrzasnął Shuckworth. — Następna szarża. — ŁUUUP! — Długo już tego nie wytrzymamy, panie prezydencie. Kelnerki wyją, pokojówki wpadły w histerię, chłopcy na posyłki wymiotują, portierzy się modlą — co począć w tej sytuacji, panie prezydencie, co począć?

— Odpal rakiety, durniu, i schodź z orbity! — polecił prezydent. — Natychmiast wracajcie na Ziemię.

— To już niemożliwe! — z goryczą w głosie oznajmił Showler. — Zniszczyły nam rakiety! Zmiażdżyły je na proch!

— Jesteśmy załatwieni, panie prezydencie! — gorączkował się Shanks. — Już po nas! Nawet jeśli nie uda im się rozbić promu, do końca życia pozostaniemy na orbicie, gdyż nie mamy już rakiet, aby wykonać manewr powrotu!

Prezydentowi pot z karku spływał po grzbiecie.

— Zresztą lada chwila utracimy z wami kontakt, panie prezydencie — ciągnął Shanks. — Szykują się właśnie do uderzenia z lewej i celują w nasze anteny radiowe. Nadlatują! Obawiam się, że nie... — Głos się urwał. W radiu zapadła cisza.

— Shanks! — wołał prezydent. — Co z tobą, Shanks? Shuckworth! Shanks! Showler!... Showlworth! — Zdesperowany prezydent zaczynał mylić nazwiska. — Shucks! Shankler!... Shankworth! Show! Shuckler! Dlaczego nie odpowiadacie?

W wielkiej szklanej windzie, w której nie mieli radia i niczego z tych okrzyków nie mogli słyszeć, Charlie mówił właśnie:

— Jedyny dla nich ratunek to uciekać szybko na Ziemię.

— Racja — zgodził się pan Wonka — ale w tym celu musieliby zejść z orbity, to znaczy skierować dziób w dół i odpalić rakiety. Jednak ich wyrzutnie rakietowe są pogięte i wgniecione. Nawet stąd to widać. Są bezsilni.

— A nie można by wziąć ich na hol? — spytał Charlie.

Pan Wonka podskoczył. Lewitował wprawdzie w powietrzu, ale jakoś podskoczył. Był tak podniecony, że z rozmachu wyrżnął czubkiem głowy w sufit, potem trzy razy okręcił się wokół własnej osi i wrzasnął:

— Świetny pomysł, Charlie! Otóż to! Na holu ściągniemy ich z orbity! A teraz szybko, do przycisków!!!

— Z czego zrobimy hol? — spytał dziadek Joe. — Z krawatów?

— Po co się przejmować takimi drobiazgami?! — obruszył się pan Wonka. — Moja wspaniała winda jest przygotowana na wszystko. Do dzieła, kochani, do dzieła!

— Powstrzymajcie go!!! — zawyła babcia Josephine.

— Uspokój się, Josie — mitygował ją dziadek Joe. — Ktoś potrzebuje naszej pomocy i z pewnością jej nie odmówimy. Jeśli się boisz, zamknij mocno oczy i zatkaj palcami uszy.

11

Bitwa ze Skrętami

— Dziadku Joe! — krzyknął pan Wonka. — Proszę poszybować w kąt windy i zacząć kręcić korbą! Wysunie się lina z hakiem na końcu!

— Lina nic nie da. Skręty przegryzą ją w jednej chwili.

— To lina stalowa — objaśnił pan Wonka. — Ze specjalnie wzmocnionej stali. Jeśli będą usiłowały ją przegryźć, zęby im się pokruszą na drzazgi! Charlie, zajmij stanowisko przy swoich guzikach! Przy tym manewrze potrzebna mi pomoc. Musimy znaleźć się nad promem, spuścić linę i próbować ją gdzieś porządnie zaczepić!

Niczym szykujący się do boju okręt wojenny wielka szklana winda, umiejętnie wykorzystując rakiety manewrowe, znalazła się nad promem. Obleńcowe Skręty natychmiast zostawiły go w spokoju, a zaczęły szwadron za szwadronem atakować zdumiewający pojazd pana Wonki. ŁUP! TRZASK! BUM! Łoskot był przeraźliwy. Winda miotała się w przestrzeni kosmicznej niczym liść na wietrze, a unoszący się w jej wnętrzu w swych nocnych koszulach babcia Josephine, babcia Georgina i dziadek George darli się przerażeni, rozpaczliwie wymachiwali rękami i błagali o pomoc. Pani Bucket tak mocno objęła męża, aż jeden z guzików od ko-

93

szuli wbił mu się w skórę. Charlie i pan Wonka, zimni jak bryły lodu, trwali pod sufitem przy sterownikach rakiet, a dziadek Joe wydając okrzyki wojenne i przeklinając Skręty, obracał zawzięcie korbą, jednocześnie przez szklaną podłogę windy obserwując wysuwającą się linę.

— Trochę w lewo, Charlie, a znajdziemy się dokładnie nad promem!... — wołał. — Panie Wonka, parę jardów do przodu!... Staram się zaczepić hak o takie coś z dziurą na przedzie!... Chwilka... Mam!!! Mam!!! Leciutko do przodu, sprawdzę, czy trzyma...
— Lina naprężyła się. — Mocniej... Mocniej!

I oto stało się! Dziw nad dziwy, popychana rakietami winda zaczęła ściągać z orbity wielki transportowy prom kosmiczny.

— A teraz pełen gaz do przodu! — entuzjazmował się dziadek Joe. — Trzyma! Hura!!! Udało się!

— Pełen gaz! — potwierdził pan Wonka, poszybował do dziadka Joe i zaczął nim potrząsać w zachwycie. — Świetna robota! Wspaniale!

Charlie zaś patrzył na sunący za nimi na końcu jakiejś trzydziestojardowej liny prom. Z przodu, za szybami kabiny widać było twarze osłupiałych ze zdumienia Shuckwortha, Shanksa i Showlera. Pomachał do nich i triumfalnie uniósł kciuk do góry, astronauci jednak nie odpowiedzieli, a nie odpowiedzieli dlatego, że nie mogli uwierzyć własnym oczom. Dziadek Joe odepchnął się i poszybował do Charliego, kipiąc z podniecenia.

— Parę już dziwów ostatnio zobaczyliśmy razem, wnusiu — powiedział — ale w czymś tak ekscytującym jeszcze nigdy nie braliśmy udziału!

— Ale gdzie się podziały Skręty, dziadku? Nagle zupełnie zniknęły!

Wszyscy rozejrzeli się dokoła. Jedynym Skrętem w zasięgu wzroku był ich dobry znajomy z purpurowym obrzękiem z tyłu, który nadal sunął obok windy i wpatrywał się w nią czerwonym ślepiem.

— Z a r a z! — przenikliwie krzyknęła babcia Josephine. — A co t o znowu takiego?

Wszyscy spojrzeli w kierunku wskazywanym przez jej wyciągnięty palec, a w oddali na czarnym niebie zobaczyli wielką chmarę Skrętów kotłujących się niczym bombowce, które szykują się do natarcia.

— Dureń jesteś, mości panie, jeśli sądzisz, że wszystkie kłopoty za nami! — oskarżycielskim tonem powiedziała babcia Georgina.

— Nie boję się żadnych Obleńcowych Skrętów! — dziarsko oznajmił pan Wonka. — Pobiliśmy je już na głowę!

— Bzduralna piramida! — prychnęła babcia Josephine. — Tylko czekać, aż przypuszczą na nas atak. Patrzcie! Nadlatują! Nadlatują!

Miała rację. Ogromna chmara Skrętów w mgnieniu oka znalazła się o kilkaset metrów od prawej burty windy. Po tej samej stronie, ale odległy ledwie o dwadzieścia jardów, znajdował się Skręt przez nich poturbowany.

— Ten najbliższy zmienia kształt! — zawołał nagle Charlie. — Co on wyprawia? Robi się coraz dłuższy i dłuższy.

Istotnie, wielka jajowata bryła zaczęła się wydłużać i wydłużać, zwężać i zwężać, aż wreszcie wyglądała jak zielonkawobrązowy wąż, gruby jak duże drzewo, a długi jak futbolowe boisko. Na jednym końcu miał spodkowate, wielkie i białe ślepia o czerwonych źrenicach, a na drugim nabrzmiały purpurowy bąbel, który powstał, kiedy zderzył się z windą.

Pasażerowie unoszący się w windzie patrzyli i czekali. Wydłużony Skręt podpłynął jeszcze bliżej windy, a potem zaczął się wokół niej ni mniej, ni więcej tylko okręcać: raz... drugi... Było to doprawdy przerażające uczucie: siedzieć w środku i patrzyć, jak na szklanych ścianach przybywa zielonkawobrązowych zwojów.

— Chce nas obwiązać jak paczkę! — zawyła babcia Josephine.

— Trele-morele — skrzywił się pan Wonka.

— Zgniecie nas w tych swoich splotach! — biadała babcia Georgina.

Ale pan Wonka pokręcił głową.

— Przenigdy!

Charlie rzucił przelotnie okiem na prom. Białe jak prześcieradła twarze Shuckwortha, Shanksa i Showlera przywierały do szyb kabiny, przerażone, oniemiałe, zastygłe w grymasie trwogi niczym rybne paluszki na patelni. I znowu Charlie pokazał im uniesiony kciuk, ale zareagował na to tylko Showler, i to ponurym grymasem.

— Ach, ach, ach! — powtarzała histerycznie babcia Josephine. — Czym prędzej zabierzcie stąd tego potwora!!!

Owinąwszy się dwakroć wokół windy, teraz Skręt zawiązywał się w solidny, podwójny supeł. Kiedy już go zacisnął, po jednej stronie zostało jeszcze wolne pięć jardów ciała zakończone ślepiami. Zaraz owe wolne pięć jardów zaczęło się wyginać, aż wreszcie przybrało postać haczyka, który oddalił się od windy, jakby czekając, aż będzie się miał o co zaczepić.

Tak to zajęło uwagę wszystkich, że nikt nie zważał na pozostałe Skręty. Ledwie jednak Charlie zerknął w ich kierunku, natychmiast krzyknął:

— Panie Wonka, proszę spojrzeć, co one robią!

A co takiego robiły?

Także i one zmieniły kształt, także i one się wydłużyły, ale o wiele mniej niż pierwszy. Każdy z nich upodobnił się do grubej laski zakrzywionej na obu krańcach — tym ze ślepiami i tym bez ślepi — z obu stron zatem zakończonej hakami. I oto właśnie haki te były w trakcie zaczepiania się o siebie, co czyniło z nich łańcuch złożony z tysiąca Skrętów, długi na pół mili albo i więcej. A wolny koniec ostatniego Skręta sunął szybko w kierunku windy.

— O rety! — zawołał dziadek Joe. — One chcą się zahaczyć za tego, który nas oplątał!

— Żeby odholować! — dorzucił Charlie.

— Na Obleń, osiemnaście miliardów czterysta dwadzieścia siedem milionów mil stąd! — jęknęła babcia Josephine.

— Nie, tak być nie może! — obruszył się pan Wonka. — Przecież to my robimy tutaj holowanie!

— Zaraz się połączą, panie Wonka! — gorączkował się Charlie. — Naprawdę! Zaraz się połączą i zaczną nas ciągnąć. Nie można im jakoś przeszkodzić?

— Zrób coś, durniu — piekliła się babcia Josephine — zamiast tam pływać pod sufitem i tylko
się gapić!

Pan Wonka był lekko stropiony.

— Muszę przyznać, że po raz pierwszy w życiu
jestem w kropce.

Wszyscy spoglądali przerażeni na wielki łańcuch złożony ze Skrętów, którego koniec był coraz
bliżej, a czekał na niego w pogotowiu hak z wielkimi, złymi ślepiami. Jeszcze trzydzieści sekund i się
połączą.

— Ja chcę do domu! — zakwiliła babcia Josephine. — Dlaczego nie możemy iść do domu?

— Na ryczące wieloryby! — zaklął pan Wonka.

— Pewnie, do domu!!! Gdzie ja mam głowę?! Co się
ze mną dzieje?! Charlie, do dzieła! Szybko! Na Ziemię! Do zielonego guzika i naciskaj z całych sił! Zaraz będzie po sprawie. — Pan Wonka i Charlie
w mig znaleźli się przy swoich przyciskach. —
Trzymać się trzymadeł. Łapać się łapadeł! Imać się
imadeł! W drogę!!!

Ze wszystkich stron windy wystrzeliły rakiety.
Szarpnęło nią gwałtownie, a potem cisnęło w kierunku Ziemi. Z ogromną szybkością wkroczyli w jej
atmosferę.

— Rakiety hamujące! — krzyknął pan Wonka.

— Nie wolno zapomnieć o hamujących!

Pożeglował do sąsiedniej ściany, a jego palce
szybko wycisnęły odpowiednią kombinację guzików. Winda gnała teraz sufitem do przodu, a ciała
jej pasażerów także ułożyły się w jednym kierunku, ku ojczystej planecie.

— Ratunkuuu! — zawodziła babcia Georgina.

— Cała krew napływa mi do głowy!

— To proszę się odwrócić. Czyż to nie proste?

Prychając i dmuchając, wszyscy zmienili pozycje tak, by mieć nogi ułożone w kierunku ruchu.

— Jak tam lina? — pan Wonka spytał dziadka Joe. — Trzyma?

— Trzyma, proszę pana, ale one nas gonią!

Widok był doprawdy przedziwny. Szklana winda mknęła w kierunku Ziemi, ciągnąc za sobą prom transportowy, ale wielki skrętowy łańcuch nadążał za nimi bez trudu, a nawet szykował się do zaczepienia o owiniętego wokół windy obrzydliwca.

— Nie uratujemy się! Za późno! — rozpaczała babcia Georgina. — Zaraz zaczną nas holować z powrotem.

— A ja wątpię — ze spokojem odrzekł pan Wonka. — Nie pamięta już łaskawa pani, co się dzieje ze Skrętami, kiedy szybko wdzierają się w atmosferę? Rozgrzewają się do czerwoności, stają w ogniu i robią się tym, co nazywamy spadającymi gwiazdami. Zaraz zobaczycie, jak te bestie pękają niczym prażona kukurydza!

Ze ścian gnającej windy zaczęły się sypać iskry; szkło się zaróżowiło, potem poczerwieniało i spurpurowiało. Iskrzyć począł także goniący windę łańcuch, a stanowiący jego czoło Skręt rozżarzył się niczym włożony do paleniska pogrzebacz i już po chwili stało się tak z całą resztą, włącznie z obrzydliwcem owiniętym wokół windy. Co więcej, ten rozpaczliwie usiłował się rozsupłać, węzeł okazał się jednak zbyt ścisły i Skręt zaczął skwierczeć,

a w windzie posłyszano dźwięk, jaki wydaje plasterek bekonu na patelni. Skwierczeć zaczęły też inne
Skręty, rozgrzewające się na skutek tarcia. Potem
nagle w jednej chwili z czerwonych stały się ja-
skrawobiałe.

— Spadające Skręty! — zawołał Charlie.

— Piękny widok — rzekł pan Wonka. — To lepsze niż ognie sztuczne.

Jeszcze kilka sekund, a cały łańcuch Skrętów
zniknął, pozostawiając po sobie smugę dymu.

— Udało się! — wykrzyknął pan Wonka. —
Usmażyły się na amen! Jesteśmy uratowani!

— Jak to uratowani? — obruszyła się babcia
Josephine. — Czeka nas zaraz ten sam los, jeśli to
potrwa jeszcze trochę! Upieczemy się na pieczeń.
Usmażymy na zasmażkę! Patrzcie tylko na szkło!
Jest rozgrzane jak zagrzaniec!

— Proszę się nie lękać, szanowna pani — uspokajał pan Wonka. — Winda jest zaopatrzona w kli-
matyzację, wentylację, automatyzację, napowie-
trzanie i co tylko możliwe. Wszystko będzie w porządku.

Pani Bucket wygłosiła jedną ze swych nielicz-
nych kwestii.

— Nie mam najmniejszego pojęcia, co się dzieje, ale zupełnie mi się to nie podoba.

— Naprawdę nie podoba ci się, mamo? — spytał Charlie.

— Nie. Ani mnie, ani tacie.

— Ale wspaniały widok! — entuzjazmował się
pan Wonka. — Charlie, spójrz tylko, jak Ziemia
się powiększa z każdą chwilą!

— A my gnamy dwa tysiące mil na godzinę! — jęknęła babcia Georgina. — I jak zwolnimy? Czy ktoś o tym pomyślał?!

— Mamy z tyłu wielkie spadochrony — powiedział Charlie. — Otworzą się, żebyśmy spokojnie wylądowali.

— S p a d o c h r o n y! — Pogardliwie wydął wargi pan Wonka. — Spadochrony są dobre dla astronautów i mazgajów! Zresztą my wcale nie chcemy z w a l n i a ć, wprost przeciwnie, chcemy p r z y-s p i e s z y ć. Przecież już mówiłem, że w dach fabryki czekolady musimy uderzyć z maksymalną szybkością, bo inaczej się przez niego nie przebijemy.

— A co się stanie z promem? — spytał zaniepokojony Charlie.

— Za parę sekund zwolnimy ich z holu — odrzekł pan Wonka. — Oni m a j ą spadochrony, trzy spadochrony, które ich wyhamują.

— A skąd wiadomo, że nie wylądujemy na Oceanie Spokojnym? — zaniepokoiła się babcia Josephine.

— Nie wiadomo, ale chyba wszyscy umiemy pływać, prawda? — spytał pan Wonka.

— Przecież to kompletny wariat! — oburzyła się babcia Josephine.

— Głupi jak głąbek! — przyłączyła się babcia Georgina.

Coraz niżej i niżej była wielka szklana winda, coraz bliżej i bliżej była Ziemia. Mknęły ku nim lądy i oceany, olbrzymiejąc z każdą chwilą.

— Dziadku Joe! Proszę zwolnić linę — polecił pan Wonka. — Szybko! Powinno być z nimi wszystko w porządku, jeśli tylko mają sprawne spadochrony.

— Zrobione! — poinformował dziadek Joe i w tej samej chwili prom odpłynął w bok od windy. Charlie pomachał trzem astronautom siedzącym za sterami, ale żaden z nich nie odpowiedział. Wszyscy trzej nadal siedzieli jak sparaliżowani i w osłupieniu przyglądali się dziwnemu towarzystwu, złożonemu z czworga staruszków, trojga dorosłych i chłopca, które odpływało od nich wraz z windą.

— Już niedługo się przekonamy, czy udało nam się ujść z życiem — powiedział pan Wonka i ułożył palce na rzędzie jasnoniebieskich guzików w kącie windy. — Proszę teraz o całkowity spokój. Muszę się skoncentrować, żebyśmy trafili w odpowiednie miejsce.

Pogrążyli się w gęstej warstwie chmur i przez dziesięć sekund nic nie widzieli. Kiedy wyskoczyli z chmur, nie było już widać promu, a pod nimi coraz wyraźniejsze były góry i lasy... potem pola i drzewa... potem jakieś miasteczko.

— Ha!!! — zawołał radośnie pan Wonka. — Jest! Jest fabryka czekolady! Moja ukochana fabryka czekolady!

— Chciał pan chyba powiedzieć: fabryka czekolady C h a r l i e g o — sprostował dziadek Joe.

— Tak, tak, o c z y w i ś c i e. — Pan Wonka spojrzał na Charliego. — Przepraszam, zupełnie zapomniałem, chłopcze! Oczywiście, że jest twoja. Ale, uwaga, zbliża się!!!

W szkle podłogi Charlie zobaczył duży czerwony dach i wysokie kominy. Spadali wprost na nie.

— Wstrzymać oddech! — polecił pan Wonka. — Zatkać nosy! Zacisnąć pasy i modlić się! Lądujemy przez dach!

12
Z powrotem w fabryce czekolady

Rozległ się huk trzaskającego drewna i tłuczonego szkła, potem zrobiło się zupełnie ciemno i słychać było straszny chrzęst wszystkiego, co winda miażdżyła na swej drodze. A potem w jednej chwili trzaski ucichły, a winda, niczym po torach, sunęła przed siebie gładko, robiąc wiraże to w jedną, to w drugą stronę. Kiedy zaś znowu zrobiło się jasno, Charlie zdał sobie sprawę z tego, że od kilku dobrych chwil nie unosi się w powietrzu, lecz normalnie stoi na podłodze. Na podłodze stał pan Wonka, na podłodze stał dziadek Joe, tak samo stali państwo Bucketowie i wielkie łóżko, na którym jak dawniej leżeli babcia Josephine, babcia Georgina i dziadek George, właśnie zakopujący się pod kołdrę.

— Udało się! — krzyknął zwycięsko pan Wonka. — Udało!!! Zrobiliśmy to! Jesteśmy w środku!

Dziadek Joe chwycił jego dłoń i potrząsał nią z zapałem.

— Wspaniała robota, panie Wonka! Prawdziwy majstersztyk!

— Gdzie my teraz jesteśmy, na Boga? — spytała pani Bucket.

— Wróciliśmy, mamo! — odparł Charlie. — Jesteśmy z powrotem w fabryce czekolady!

— Miło to usłyszeć, ale czy nie była to dość okrężna droga? — skrzywiła się matka Charliego.

— Przynajmniej udało się uniknąć korków — zauważył pan Wonka.

— Nigdy jeszcze nie spotkałam nikogo, kto wygadywałby większe bzdury! — oznajmiła stanowczo babcia Georgina.

— Jeden malutki nonsensik tu, jeden tam, to jeszcze nikomu nie zaszkodziło — uśmiechnął się pan Wonka.

— Pilnuj pan lepiej, dokąd ta idiotyczna winda jedzie! — ofuknęła go babcia Josephine. — I dość tych głupot!

— Kilka niewinnych wygłupów sprawia, że nie stajemy się ponurakami — z równą pogodą oświadczył pan Wonka.

— A nie mówiłam?! — krzyknęła babcia Georgina. — Jest sfiksowany jak fiksidło! Zidiociały jak idiolekt! Skretyniały jak kreton! Zwariowany jak wariancja! Ja chcę do domu!!!

— Cóż, za późno, jesteśmy, gdzie jesteśmy — powiedział pan Wonka.

Winda znieruchomiała, drzwi się rozsunęły i oto Charlie znowu miał przed sobą Halę Czekoladową, z jej czekoladową rzeką, czekoladowym wodospadem i całym jej jadalnym krajobrazem: jadalnymi drzewami, liśćmi, źdźbłami traw, kamykami i nawet jadalnymi skałami. A na ich powitanie wyległy

całe setki Umpa-Lump, które radośnie wymachiwały rękami i wiwatowały. Widok ten zaparł dech w piersiach wszystkim, włącznie z babcią Georginą. Nie potrwało to jednak długo. Już po kilkunastu sekundach zmarszczyła brwi i spytała:

— A co to znowu za liliputy?

— To Umpa-Lumpy — wyjaśnił jej Charlie. — Są cudowne. Zobaczysz, babciu, pokochasz je.

— Szszsz! — syknął dziadek Joe. — Słyszysz, Charlie? Znowu bębnią! Zaraz coś zaśpiewają.

Ach, witamy, ach, witamy,
Willy Wonka znowu z nami.
Tutaj każdy się już smucił,
Że on nigdy nie powróci,
Bo daleko, tam, w Kosmosie,
Musiał zwalczyć groźne cosie,
Słychać było też chrupanie,
Jakby ktoś was na śniadanie
Pożarł chwacko i brutalnie,
Więc...

— Dosyć... — przerwał Umpa-Lumpom pan Wonka, podnosząc dłoń. — Dziękujemy za powitanie, ale teraz pomóżcie nam wytoczyć to łoże!

Pięćdziesiąt Umpa-Lump wskoczyło do windy i wypchęło łóżko z jego wiekowymi mieszkańcami do Hali Czekoladowej. W ślad za nimi wyszli z windy rodzice Charliego, rozglądający się wokół w zachwycie, na koniec zaś, mniej oczywiście zdumieni, dziadek Joe, Charlie i pan Wonka.

Pan Wonka klasnął w ręce.

— No, dobra! — zwrócił się do trojga staruszków na łóżku. — Wychodzimy spod kołdry i zabieramy się do roboty! Jestem pewien, że przyłączycie się państwo do kierowania fabryką.

— Kto, my? — spytała babcia Josephine.

— Tak, wy — potwierdził pan Wonka.

— Chyba pan żartujesz — oburzyła się babcia Georgina.

— Nigdy nie żartuję.

— Teraz posłuchaj mnie pan. — Dziadek George stanowczym ruchem usiadł na łóżku. — Starczy już tych wszystkich kłopotów, w któreś nas pan wpakował!

— Wpakowałem, ale i z nich wyciągnąłem — zwrócił uwagę pan Wonka. — I zamierzam także wyciągnąć was wreszcie z tego łóżka!

13

Jak wynaleziono Wonka-Vitę

— Nie ruszałam się z tego łóżka przez dwadzieścia lat — stanowczo stwierdziła babcia Josephine — i nie zamierzam tego robić teraz dla nikogo!

— Ani ja — przyłączyła się babcia Georgina.

— Ale przecież wszyscy niedawno opuściliście łóżko — zauważył ze zdziwieniem pan Wonka.

— Bo fruwaliśmy, ale nic na to nie mogliśmy poradzić — obruszył się dziadek George.

— Nasza noga nigdy nawet nie musnęła podłogi — powiedziała babcia Josephine.

— To proszę musnąć. Chyba się łaskawa pani zdziwi, jakie to proste.

— No dalej, Josie — zachęcał dziadek Joe. — Spróbuj. Jak ja. Sama się przekonasz.

— Ale nam bardzo dobrze jest tutaj, gdzie jesteśmy, i dajcie nam święty spokój — prychnęła babcia Josephine.

Pan Wonka westchnął i ze smutkiem pokręcił głową.

— A więc tak. Do tego doszło — mruknął.

Przekrzywił głowę i przez chwilę bacznie przypatrywał się trójce staruszków w łóżku.

Charlie, który patrzył na niego uważnie, dostrzegł w jego oczach dobrze znane skierki.

„Ha-ha-ha", pomyślał. „Ciekawe, co się zaraz stanie?!"

Pan Wonka przycisnął sobie koniuszek nosa palcem.

— Myślę... Tak sobie myślę... Sprawa jest istotnie poważna, więc... Więc chyba p o w i n i e n e m was poczęstować odrobinką...

Urwał i pokręcił głową.

— Odrobinką czego? — surowo spytała babcia Josephine.

— Nie, nie, to bez sensu — rzekł pan Wonka. — Zdaje się, że postanowiliście zostać w łóżku, choćby się waliło i paliło. To zbyt drogocenna rzecz, żeby ją marnować. Przepraszam, że w ogóle o tym wspomniałem.

Z tymi słowami pan Wonka się odwrócił.

Babcia Georgina była poruszona.

— Ej, zaraz! Tak się nie robi! C o to takiego drogocennego, czego nie można marnować?

Pan Wonka powoli obrócił się znowu. Przeciągle i poważnie wpatrzył się w troje dziadków. Oni patrzyli na niego, czekając. Jeszcze trochę pomilczał, napięcie więc rosło. Umpa-Lumpy zastygły za nim zupełnie nieruchomo.

— O czym pan mówisz? — przerwała ciszę babcia Georgina.

— No dalej, gadaj pan! — ponaglała babcia Josephine.

— Dobrze — odezwał się wreszcie pan Wonka. — Powiem wam. Ale słuchajcie państwo uważnie, bo to może zmienić całe wasze życie. To może nawet zmienić w a s.

— Ja nie chcę się z m i e n i a ć! — krzyknęła babcia Georgina.

— Czy da mi pani dokończyć? Dziękuję. Nie tak dawno temu siedziałem sobie w Hali Wynalazków, mieszając różne rzeczy jak zawsze o czwartej po południu, i nagle pojawiło się coś dziwnego. Zmieniało kolor, kiedy na to patrzyłem, a także od czasu do czasu podskakiwało sobie — tak jak teraz uniosło się w powietrze — zupełnie jakby było żywe. „A c o m y t u m a m y?!", zawołałem, chwyciłem dziwadło, szybko pognałem do Hali Testowej i podałem Umpa-Lumpie, która właśnie miała tam dyżur. Rezultat był zaskakujący! Zapierał dech w piersiach! Chociaż także niefortunny.

Babcia Georgina aż usiadła na łóżku.

— Co się stało? — zawołała.

— To nie tak łatwo wyjaśnić — mruknął pan Wonka.

— Nie wykręcaj się pan, tylko odpowiadaj — zaperzyła się babcia Josephine. — Co się stało z tą... jak jej tam... Umpa-Lumpą?

— Hmmm... Więc tak... tak... Nie ma co rozpaczać nad rozlanym mlekiem, prawda? Po prostu wiem, że odkryłem nową i niesłychanie silną witaminę. Wiem także, że jeśli tylko uda mi się wprowadzić odpowiednie zabezpieczenia, tak żeby nie robiła z innymi tego, co z Umpa-Lumpą...

— Powiesz pan wreszcie, co j e j zrobiła? — syknęła babcia Georgina.

— Im starszy jestem, tym gorzej słyszę — oznajmił pan Wonka. — Następnym razem proszę mówić trochę głośniej, za co z góry dziękuję. A więc do rzeczy. Chodzi zatem o to, że m u s i a ł e m jeszcze popracować nad tym, żeby ludzie mogli przyjmować ją bez...

— Bez c z e g o? — niecierpliwiła się babcia Georgina.

— No na przykład, bez strachu. Zakasałem przeto rękawy, znowu zasiadłem w Hali Wynalazków i zabrałem się do mieszania. Mieszałem i mieszałem. Wypróbowałem chyba wszystkie możliwe składniki. Nawiasem mówiąc, w ścianie Hali Wynalazków jest otwór wprost do Hali Testowej, mogłem więc kolejne mikstury serwować tamtędy kolejnym ochotniczkom, które zjawiały się na dyżurze. Muszę przyznać, że pierwsze kilkanaście tygodni było przygnębiające i nie ma sensu się nad nimi rozwodzić, natomiast opowiem wam, co zdarzyło się sto trzydziestego drugiego dnia mych eksperymentów.

Tego ranka znowu zmieniłem wiele składników, a mała pigułka, którą w końcu otrzymałem, mniej już była rzutka i gorliwa. Nadal zmieniała barwę, ale tylko z cytrynowożółtej na niebieską i z powrotem na żółtą, a umieszczona na dłoni nie skakała już jak konik polny. Dygotała tylko, a i to delikatnie.

Podbiegłem do otworu w ścianie łączącego z Halą Testową. Tym razem na dyżurze była bardzo stara Umpa-Lumpa: łysa, pomarszczona i bezzębna. Od piętnastu lat nie podnosiła się z fotela na kółkach. „To test numer sto trzydzieści dwa", oznajmiłem i położyłem pigułkę na blacie. Umpa-Lumpa wzięła ją i popatrzyła z niepokojem. Trudno było mieć do niej o to pretensję, mając jeszcze w pamięci, co się stało z poprzednimi stu trzydziestoma jeden.

— Dowiemy się w końcu, co się z nimi s t a ł o?

— nie wytrzymała babcia Georgina. — Czemu nie odpowiesz pan na pytanie, tylko się bawisz w jakieś zawijasy?

— Niełatwo iść prostą drogą tam, gdzie pełno zawijasów — rzekł pan Wonka. — Tak czy siak dzielna Umpa-Lumpa wzięła pigułkę, popiła trochę wodą i połknęła. I wtedy wydarzyło się coś zdumiewającego. Nagle na moich oczach poczęły się dokonywać malutkie zmiany w jej wyglądzie. Jeszcze chwilę temu była niemal całkiem łysa, tylko z odrobiną siwych włosków na skroniach i potylicy. Teraz te siwe resztki ozłociły się i wnet cała głowa — niczym trawa — zaczęła porastać złocistymi włosami blond. Wystarczyło mniej niż pół minuty, żeby odrodziła się jej prawdziwa fryzura. Jednocześnie jedna po drugiej liczne zmarszczki znikały z jej twarzy, nie wszystkie, to prawda, jakaś połowa, ale i to wystarczyło, żeby wyraźnie odmłodniała, a musiało to być całkiem przyjemne uczucie, bo Umpa-Lumpa zaczęła się do mnie uśmiechać, a wtedy zobaczyłem, że w bezzębnych dotąd dziąsłach bieleją zęby. To był naprawdę niezwykły widok: po prostu widziałem, jak te zęby z chwili na chwilę wyrastają ze starych dziąseł, piękne białe zęby.

Nie będę ukrywał, że mnie wprost zamurowało. Wsadziłem głowę w otwór i tylko gapiłem się na tę Umpa-Lumpę, a ona, wyobraźcie sobie, powoli się podnosi z fotela na kółkach. Najpierw poruszyła stopami, następnie wstała i zrobiła kilka kroków. A potem popatrzyła na mnie i promiennie się uśmiechnęła. Oczy zrobiły jej się wielkie i jasne jak gwiazdy. „Niech pan tylko spojrzy!", powiedziała. „Ja chodzę! To cud!" „To Wonka-Vita!", ja na to. „Wspaniały odmładzacz. Przywraca młodość. Na ile lat teraz się czujesz?" Zastanowiła się, a potem odpowiedziała: „Chyba tak, jak wtedy, kiedy miałam pięćdziesiąt lat". „A ile masz teraz?" „Niedawno obchodziłam siedemdziesiąte urodziny". „To znaczy, że Wonka-Vita odmłodziła cię o dwadzieścia lat". „Tak, tak, odmłodziła, odświeżyła!", Umpa-

-Lumpa na to. „Czuję się teraz świeża jak świersz-
czyk". „Nie, nie", ja na to. „Jeszcze nie dość. Pięćdziesiąt to niezły wynik, ale może dałoby się odmłodzić cię jeszcze bardziej. Poczekaj chwilkę, zaraz
wracam".

Pognałem do swojego stołu laboratoryjnego i zro-
biłem jeszcze jedną pigułkę Wonka-Vity o dokładnie takim samym składzie. „Połknij to", poleciłem,
podając jej nową pigułkę. Tym razem nie zawahała
się ani chwili, włożyła do ust i popiła, a nie upły-
nęło nawet pół minuty, kiedy z jej twarzy i ciała
ubyło kolejne dwadzieścia lat, i oto stała przede
mną sprężysta i rześka trzydziestoletnia Umpa-
-Lumpa. Wydała z siebie okrzyk radości, a następnie puściła się w tany dookoła pokoju, co chwila
wysoko skacząc w powietrze. „Czy jesteś szczęśliwa?", spytałem. „Szczęśliwa?", powtórzyła, nie prze-
rywając tańca. „Jestem radosna jak różowy ra-
nek!" I z tymi słowami wybiegła z Hali Testowej,
aby się pokazać rodzinie i znajomym.

Tak oto — kończył swoją opowieść pan Wonka
— wynalazłem Wonka-Vitę, którą teraz można już
bezpiecznie używać.

— To czemuś pan sam z niej nie skorzystał? —
spytała babcia Georgina. — Powiedziałeś Charliemu, żeś już za stary na prowadzenie fabryki, więc
czemuś nie wziął dwóch pigułek, żeby sobie odjąć
czterdzieści lat? Czemu?

— Pytać może każdy — rzekł pan Wonka — ale
tak naprawdę liczą się odpowiedzi. Gdybyście więc
teraz chcieli we trójkę spróbować...

— Chwileczkę, nie tak szybko! — Babcia Jose-

phine usiadła na łóżku. — Chciałabym najpierw obejrzeć tę siedemdziesięcioletnią Umpa-Lumpę, która się zamieniła w trzydziestolatkę!

Pan Wonka pstryknął palcami i z gromady Umpa-Lump wybiegła jedna, młoda i żwawa, by z gracją zaprezentować się w pięknym tańcu przed trojgiem staruszków w wielkim łożu.

— Spójrzcie sami. Dwa tygodnie temu miała siedemdziesiąt lat i nie ruszała się z fotela na kółkach! A teraz!

Dziadek Joe dał Charliemu lekkiego kuksańca.

— Słyszysz? Bębny! Umpa-Lumpy zaraz będą śpiewać.

Na brzegu czekoladowej rzeki stała kapela złożona z dwudziestu Umpa-Lump, z których każda dźwigała wielki, dwa razy większy od niej bęben. Wybijały powolny rytm, który szybko ogarnął wszystkie inne Umpa-Lumpy, tak że niczym na komendę zgodnie zaczęły się kołysać z boku na bok, a po chwili rozległ się śpiew:

Jeśliś jest stary, głowa się trzęsie,
Jeśli co rano bolą cię mięśnie,
Jeżeli sprawia kłopot chodzenie,
Jeżeli życie jest ci cierpieniem,
Jeśli złość w tobie gorzeje skryta,
Jeżeli cierpień lista obfita:
RATUNKIEM TWOIM JEST WONKA-VITA!
Wzrok znów promienny, włosy znów długie,
Silne ramiona, jedno i drugie,
Spróchniałe zęby powypadały,
Nowe wyrosły, te by schrupały
Zawartość całej pękatej beczki.
Znikły na biodrach tłuszczu wałeczki,
Usta, co przedtem blade i cienkie,
Znowu się stały różowe, miękkie.
I w każdym wnet się rodzi pokusa,
Ażeby cichcem skraść im całusa,
Lecz zaraz! Nie jest to jeszcze cała
— Choćby i z tym już cudna się zdała —
Nasza naprawdę wielka nowina.
I tutaj istny dziw się zaczyna,
Gdyż każdy proszek — nie uwierzycie! —

O LAT DWADZIEŚCIA PRZEDŁUŻA ŻYCIE.
Więc chodźcie wszyscy starcy, staruszki,
Na bok odrzućcie kołdry, poduszki,
O wiek swój martwić się nie musicie,
Teraz zaczniecie smakować życie,
Które na nowo stanie w rozkwicie:
Ach, chwała, chwała cnej Wonka-Vicie.

14

Przepis na Wonka-Vitę

— A oto i one! — zawołał pan Wonka i podniósł w górę rękę z buteleczką. — Pigułki najcenniejsze na całym świecie! Ma też zarazem szanowna pani — pan Wonka uśmiechnął się do babci Georginy — odpowiedź na swoje pytanie. Sam ich nie brałem, gdyż są zbyt drogocenne, aby zużyć je na mnie.

Pan Wonka trzymał buteleczkę nad łóżkiem. Cała trójka dziadków wytężyła swoje żylaste, chuderlawe siły, żeby jak najlepiej przyjrzeć się pigułkom w środku. Dziadek Joe i Charlie przysunęli się bliżej, to samo zrobili jego rodzice. Na etykiecie przeczytali:

WONKA-VITA
Każda pigułka ODMŁADZA o 20 lat
UWAGA!
Trzymać się dawki zalecanej przez
pana Wonkę

W środku szklanej fiolki widzieli jaskrawożółte pigułki, które błyszczały i leciutko drżały — czy

może lepiej: wibrowały. Wibrowały tak szybko, iż kształt każdej z nich odrobinę się rozmywał i wyraźnie widać było tylko barwę. Odnosiło się wrażenie, że coś niewielkiego, ale bardzo potężnego, coś nie z tego świata, co znalazło się w każdej pigułce, usiłuje wydobyć się na zewnątrz.

— Trzęsą się — zauważyła babcia Georgina. — Nie lubię rzeczy, które się trzęsą. Skąd można wiedzieć, że nie będą się dalej trzęsły w nas, kiedy je połkniemy? Jak te skaczące meksykańskie fasolki

Charliego, które połknęłam parę lat temu. Pamiętasz, Charlie?

— Mówiłem ci, babciu, żebyś ich nie ruszała.

— Podrygiwały we mnie chyba przez miesiąc. Nie mogłam spokojnie siedzieć.

— Jak już mam połknąć którąś z tych rzeczy, to najpierw muszę wiedzieć, co tam jest w środku — stanowczo oznajmiła babcia Josephine.

— Świetnie rozumiem szanowną panią — rzekł pan Wonka — ale receptura jest bardzo skomplikowana. Zaraz, chwileczkę... gdzieś to miałem zapisane. — Zaczął przeszukiwać kieszenie fraka. — Gdzieś miałem ten przepis, przecież nie mogłem go zgubić. Wszystkie najważniejsze i najcenniejsze rzeczy chowam tutaj, w kieszeniach fraka. Kłopot w tym, że tyle ich jest... — Pan Wonka zaczął wykładać na łóżko najróżniejsze przedmioty: małą katapultę... jo-jo... sadzone jajko z gumy... plasterek salami... zaplombowany ząb... pojemnik z cuchnącym gazem... proszek powodujący swędzenie...

— Musi gdzieś tu być... m u s i... — mruczał pod nosem. — Starannie ją wkładałem... A, j e s t, proszę bardzo!

Rozłożył zgnieciną kartkę papieru i zaczął czytać:

PRZEPIS NA WONKA-VITĘ

Blok najlepszej czekolady o wadze jednej tony (albo dwadzieścia pięćdziesięciokilogramowych worków z kawałkami czekolady, jeśli będzie to wygodniejsze) włożyć do odpowiedniej wielkości rondla i umieścić na rozgrzanym do czerwoności piecu.

Kiedy się stopi, dalej podgrzewać, ale nie dopuszczając do gotowania. Teraz dodawać, co następuje, ale z zachowaniem kolejności i dozowania, nowy składnik wprowadzając dopiero wtedy, gdy poprzedni całkiem się rozpuści. Oto one:

KOPYTO HIPERGRYFA
TRĄBA (RAZEM Z FUTERAŁEM) SŁONIA
ŻÓŁTKA Z TRZECH JAJEK PTAKA OGNISTEGO
ŻURAWINA Z ŻURAWIA
RÓG KROWI (BYLE GŁOŚNY!)
TRZY LISZKI ZEBRANE Z BAZYLISZKA
OSIEM SPRĘŻYNEK ZE SKOCZOGONKA
TRZY GARŚCI KORY Z PNIANINA
SPROSZKOWANY DZIÓB CZERWONEGO
                              KRWAWOTROSA
PAZNOKIEĆ JEDNOROŻCA
CZTERY RAMIONA KWADRONICY
UNCJA POTU (TAKŻE TAMY) Z HIPOPOTAMA
RYJ DZIKACZKI
MUŁ Z MUŁA
SKÓRA (WRAZ ZE SKOGUTEM) NAKRAPIANEJ
                              WRZAŚNICY
BIAŁKA Z DWUNASTU JAJEK DWUNASTNICY
KOPA PIACHU (EWENTUALNIE MOŻE BYĆ
                    PIĘĆDZIESIĄT DZIEWIĘĆ)
TRZY NAPARSTKI NAPARSTNICY
PIERWIASTEK KWADRATOWY Z PIERWIOSNKA
PIĘĆ KROPEL WYCIA WYCIERACZKI
ŁOPATKA (I KUBEŁEK) WILKOŁAKA

Kiedy wszystko już się rozpuści, dusić — nie mieszając i bez rękawiczek — przez następne dwadzieścia siedem dni. W tym czasie cały płyn odparuje i na dnie rondla pozostanie tylko ciemnobrązowa gruda wielkości piłki futbolowej. Tę należy roztłuc młotkiem, a w środku będzie malutka pigułka. I to jest WONKA-VITA!

15
Do widzenia, Georgino!

Skończywszy czytać przepis, pan Wonka starannie złożył kartkę i z powrotem umieścił ją w kieszeni.

— Bardzo, ale to b a r d z o skomplikowana receptura — powiedział. — Nic więc chyba dziwnego, że tyle to czasu zajęło, zanim ją opracowałem. — Podniósł buteleczkę wysoko i potrząsnął nią, a pigułki zagrzechotały w środku niczym szklane paciorki. — Proszę. — Podsunął ją najpierw dziadkowi George'owi. — Zechce pan wziąć jedną pigułkę lub dwie?

— Czy może pan solennie przysiąc — upewnił się dziadek — że nie zrobi mi ona nic więcej ponad to, co pan opisał?

Pan Wonka położył wolną rękę na sercu.

— Przysięgam.

Charlie zrobił krok do przodu, a za nim dziadek Joe. Obaj zawsze stanowili właściwie nierozłączną parę.

— Przepraszam pana — odezwał się Charlie — ale czy na pewno wszystko jest w p o r z ą d k u z tą pigułką?

— Też coś! Czemu zadajesz takie śmieszne pytanie?

— No... Chodzi mi o tę gumę, którą dał pan Violet Beauregarde.

— Aaa, t o cię martwi! — wykrzyknął pan Wonka. — Czyś jednak nie zauważył, drogi chłopcze, że ja wcale nie dałem jej pannie Violet? Złapała ją sama bez pozwolenia, a nawet na przekór moim ostrzeżeniom. Przecież wołałem: „Wypluj! Zaszkodzi ci!", ale ona ani myślała mnie słuchać. Ale z Wonka-Vitą sprawa przedstawia się zupełnie inaczej. Ja sam p r o p o n u j ę ją twoim dziadkom. Ja ją p o l e c a m. Wystarczy trzymać się moich instrukcji, żeby Wonka-Vita była bezpieczna jak cukier kryształ!

— Pewnie, że jest bezpieczna! — zawołał pan Bucket. — Na co czekacie, bierzcie wszyscy! — zwrócił się do swej matki i teściów.

Od chwili wejścia do Hali Czekoladowej w panu Buckecie dokonała się zadziwiająca przemiana. Dotąd był skromną i niepozorną osobą. Życie ograniczone do zakładania nakrętek na tubki z pastą do zębów uczyniło z niego człowieka nieśmiałego i cichego. Widok sławnej fabryki czekolady obudził w nim niezwykły wigor, który jeszcze się zwiększył, gdy pan Wonka opowiedział o swej cudownej pigułce.

— Nie rozumiecie, że pan Wonka oferuje wam nowe życie? Nie przegapcie okazji! — wykrzykiwał, zbliżając się do łóżka.

— To wspaniałe uczucie — zachęcał pan Wonka — a wszystko dokonuje się bardzo szybko. Ubywa wam dokładnie jeden rok na sekundę! Upływa sekunda, a wy młodniejecie o jeden rok! — Nachylił się i umieścił fiolkę z pigułkami na środku łóżka. — Proszę bardzo. Częstujcie się państwo sami!

— D a l e j! — wykrzykiwały Umpa-Lumpy.

Umpa-Lumpy powtórzyły zakończenie piosenki:

Więc chodźcie wszyscy starcy, staruszki,
Na bok odrzućcie kołdry, poduszki,
O wiek swój martwić się nie musicie,
Teraz zaczniecie smakować życie,
Które na nowo stanie w rozkwicie:
Ach, chwała, chwała cnej Wonka-Vicie!

To wystarczyło trojgu starych ludzi w łóżku. W tej samej chwili wszyscy rzucili się do buteleczki, a sześcioro wychudzonych, żylastych rąk zaczęło o nią walczyć. Zwyciężyła babcia Georgina. Wydała z siebie zwycięski okrzyk, odkręciła wieczko, a zawartość wysypała na kołdrę tuż przed sobą i przykryła dłońmi, aby nie dopuścić do skarbu innych.

— Świetnie! — krzyknęła, szybko przeliczyła pastylki i ciągnęła: — Sześć dla mnie, a po trzy dla was dwojga!

— Nie, to niesprawiedliwe! — zaprotestowała babcia Josephine. — Wypada po cztery dla każdego z nas.

— Tak, cztery to w porządku! — zawtórował jej dziadek George. — Daj mi moją część, Georgina!

Pan Wonka wzruszył ramionami i odwrócił się od łóżka. Nienawidził kłótni. Nie znosił ludzi chciwych i samolubnych. „Niech to załatwią między sobą", pomyślał i wolnym krokiem skierował się ku cze-

koladowemu wodospadowi. „To smutna prawda, mówił do siebie, że niemal wszyscy ludzie na świecie zaczynają zachowywać się okropnie, kiedy chodzi o wielką stawkę". Najbardziej walczą ze sobą o pieniądze, ale pigułki były nawet czymś większym od pieniędzy. Tego, co potrafiły sprawić, nie można było kupić za żadne pieniądze. Nawet gdyby wycenić każdą z nich na milion dolarów i tak znaleźliby się chętni. Sam znał takich bogaczy, którzy z chęcią zapłaciliby jeszcze więcej, żeby tylko odmłodnieć o dwadzieścia lat. Zatrzymał się na brzegu tuż za wodospadem i patrzył na lecącą w dół i rozpryskującą się płynną czekoladę. Miał nadzieję, że jej huk zagłuszy odgłosy kłótni, ciągle jednak mógł rozróżnić zapalczywe głosy i słowa.

— Pierwsza złapałam! — mówiła babcia Georgina. — Więc mam prawo dzielić je tak, jak chcę!

— Wcale nie! — oburzyła się babcia Josephine. — Dał je naszej trójce, a nie tylko tobie.

— Chcę moją część i już! Nikt mnie nie powstrzyma! — wołał dziadek George. — Dawaj mi ją zaraz!

Dziadek Joe przekrzyczał wszystkich.

— Dość tego! Uspokójcie się wszyscy troje! Nie możecie zachowywać się jak dzikusy!

— Nie mieszaj się do tego, Joe, bo to nie twój interes! — ofuknęła go babcia Josephine.

— Uważaj, Josie! — rzekł ostrzegawczo dziadek Joe. — Nawet cztery to za dużo dla jednej osoby.

— Tak, tak — przyłączył się Charlie. — Babciu, p r o s z ę, dlaczego nie weźmiesz jednej czy dwóch, jak radził pan Wonka, a wtedy zostanie też kilka dla dziadka Joe, a także dla mamy i taty?

— Tak — zawołał pan Bucket. — Z chęcią za-
żyłbym jedną.

— Och, jakie to byłoby wspaniałe — zachwyciła
się pani Bucket — mieć o dwadzieścia lat mniej
i nie czuć już więcej bólu nóg. Mamo, nie dasz nam
po jednej pigułce?

— Obawiam się, że nie — odparła babcia Georgina. — Te pigułki przeznaczone są dla naszej trój-
ki w tym łóżku. Tam powiedział pan Wonka!

— Chcę moją działkę! — denerwował się dziadek George. — Georgina, dawaj czym prędzej!

— Ej, puśćże mnie, ty brutalu! — zawyła babcia Georgina. — Boliiii! Auuu!... DOBRZE! D o-
b r z e   j u ż, dobrze, p o d z i e l ę   wszystkie równo,
tylko nie wykręcaj mi ręki!... Nareszcie!... Masz tutaj swoje cztery... i ty także cztery, Josephine...
A te cztery są dla mnie.

— No i widzisz! A gdzie woda? — spytał dziadek
George.

Pan Wonka nawet bez oglądania się dobrze wiedział, że trzy Umpa-Lumpy już biegną do łóżka,
każda ze szklanką wody w ręku, zawsze bowiem
były skore do pomocy. Nastąpiła chwila ciszy,
a potem dziadek George powiedział:

— Już jest!

— Zaraz będę młoda i piękna! — wykrzyknęła
babcia Josephine.

— Do widzenia, ty wstrętna starości! — zawołała babcia Georgina. — A teraz wszyscy razem:
łykamy!

I znowu cisza. Pana Wonkę aż korciło, żeby się
odwrócić, ale zmusił się, aby poczekać. Kątem oka

widział grupę Umpa-Lump, które z napięciem wpatrywały się w stojące obok windy wielkie łóżko. Wreszcie ciszę przerwał Charlie.

— U o u! Tylko s p ó j r z c i e! To... to niemożliwe!

— Nie wierzę swoim oczom! — wtórował mu dziadek Joe. — Robią się coraz młodsi! Tylko p a t r z na włosy George'a!

— I na zęby! — rzekł z podnieceniem w głosie Charlie. — Dziadku, znowu masz piękne białe zęby!

— Mamo! — wołała pani Bucket do babci Georginy. — Mamo! Jesteś taka piękna! I taka młoda! A tylko s p ó j r z na tatę, jaki przystojny!

— Jak się czujesz, Josie? — pytał podekscytowany dziadek Joe. — Powiedz nam, jak to jest mieć znowu trzydziestkę? Ale zaraz... Ty masz mniej niż trzydzieści lat, nie więcej niż dwadzieścia... Ale to już chyba starczy! Na twoim miejscu na tym bym się zatrzymał. Dwadzieścia jest w sam raz!

Pan Wonka ze smutkiem pokręcił głową i zakrył oczy ręką. Gdyby ktoś stał blisko niego, usłyszałby, jak mruczy:

— I znowu... I znowu...

— M a m o! — zawołała pani Bucket, ale tym razem w jej głosie pojawiła się nutka strachu. — Mamo, przestań, teraz to już za dużo! Masz dużo mniej niż dwadzieścia! Jakieś piętnaście... Mamo, mamo, ty r o b i s z s i ę c o r a z m n i e j s z a!!!

— Josie! Josie! — gorączkował się dziadek Joe.

— Nie rób tego, Josie! Ty się kurczysz! Jesteś już małą dziewczynką! Niech ktoś ją powstrzyma! Szybko!

— Wszyscy poszli za daleko! — wykrzyknął Charlie.

— Wzięli za dużo! — powiedział pan Bucket.

— Mama kurczy się szybciej niż reszta! — rozpaczała pani Bucket. — Mamo, czy nie słyszysz mnie? Nie możesz się zatrzymać?

— Wielkie nieba! Co za tempo, naprawdę! — rzekł pan Bucket. Wyglądało na to, że jest jedynym, któremu podobało się całe to zdarzenie.

— Ale im już prawie wcale lat nie zostało! — zawodził dziadek Joe.

— Mama ma teraz nie więcej niż cztery lata! — rozpaczała pani Bucket. — Trzy... dwa... roczek... Na Boga! Co się z nią stało?! Gdzie zniknęła?! Mamo?! Gdzie jesteś??? Panie Wonka! Niech pan szybko tutaj przyjdzie! Szybko! Stało się coś strasznego! Coś poszło nie tak! Moja stara matka gdzieś się zapodziała.

Pan Wonka odwrócił się z westchnieniem i powolnym, statecznym krokiem podszedł do łóżka.

— Gdzie moja mama? — łkała pani Bucket.

— I niech pan tylko spojrzy na Josephine! — krzyknął dziadek Joe.

Pan Wonka najpierw popatrzył na babcię Josephine. Siedziała pośrodku wielkiego łóżka i przechylała głowę z jednej strony na drugą, gruchając:

— Agu! Agu! Agu! Agu!

— Gaworzące dziecko! — powiedział wstrząśnięty dziadek Joe. — Mam za żonę gaworzące dziecko!

— Dziadek George jest taki sam! — Pan Bucket był najwyraźniej rozbawiony. — Tylko trochę większy i raczkuje. Ojciec mojej żony raczkuje!

— Tak, to mój ojciec! — Pani Bucket wyglądała na zdruzgotaną. — A gdzie Georgina, moja stara matka? Przepadła! Nigdzie jej nie widać, panie Wonka! Nigdzie jej nie ma. Robiła się coraz mniejsza, aż w końcu zupełnie zniknęła. Muszę wiedzieć, gdzie teraz j e s t! I jak ją stamtąd wydobyć!

Pan Wonka podszedł bliżej i podniósł dłonie w uspokajającym geście.

— Drodzy państwo, p r o s z ę się nie gorączkować, błagam. Nie ma się czym przejmować, naprawdę...

— Jak to: nie ma się czym przejmować?! — zapłakała biedna pani Bucket. — Matka gdzieś wyparowała, a ojciec raczkuje...

— Piękny chłopaczek — powiedział pan Wonka.

— Tak, piękny — poparł go pan Bucket.

— A co z moją Josie? — spytał zdesperowany dziadek Joe.

— Jak to: c o?

— No... Chyba pan widzi!

— Znaczna poprawa, jak mi się zdaje.

— Tak, to znaczy NIE! Co ja wygaduję — powiedział dziadek Joe. — Przecież to niemowlę!

— Ale jakie zdrowe! Przepraszam, że zapytam, ale ile wzięła pigułek? — spytał pan Wonka.

— Cztery — odparł ponuro dziadek Joe. — Tak samo jak tamtych dwoje.

Pan Wonka odkaszlnął, a jego twarz powlekła się smutkiem.

— Dlaczego ludzie są tacy nierozsądni? Dlaczego nie s ł u c h a j ą, co się do nich mówi? Przecież wyjaśniłem bardzo wyraźnie, że każda pigułka odbiera zażywającej ją osobie dokładnie dwadzieścia lat. Jeśli więc babcia Josephine wzięła cztery pigułki, to automatycznie stała się młodsza o cztery razy dwadzieścia... Zaraz, muszę policzyć.. cztery razy dwa jest osiem... a teraz zero... czyli osiemdziesiąt... automatycznie odmłodniała o osiemdziesiąt lat. Ile lat miała pańska żona, zanim to nastąpiło?

— Niedawno obchodziła osiemdziesiąte urodziny, miała więc osiemdziesiąt lat i trzy miesiące.

— No i proszę! — Pan Wonka uśmiechnął się promiennie. — Wonka-Vita działa niezawodnie! Pańska małżonka ma teraz dokładnie trzy miesiące. Mówiąc szczerze, dawno nie widziałem bardziej udatnego niemowlęcia.

— Ani ja — zgodził się pan Bucket. — Zdobyłaby nagrodę w konkursie na miss niemowlaków.

— P i e r w s z ą — stanowczo stwierdził pan Wonka.

— Nie martw się, dziadku! — powiedział Charlie, mocno ściskając dłoń Joe. — Jest ślicznym dzieckiem.

— Przepraszam panią — zwrócił się pan Wonka do matki Charliego. — A ile lat miał dziadek George, pani ojciec?

— Osiemdziesiąt jeden — wychlipała pani Bucket. — Dokładnie osiemdziesiąt jeden.

— Dlatego mamy przed sobą jednorocznego chłopaczka — triumfalnie obwieścił pan Wonka.

— Cudownie! — powiedział do swojej żony pan Bucket. — Jesteś pierwszą osobą na świecie, która będzie zmieniać pieluszki swemu tacie...

— Niech sobie sam zmienia! — obruszyła się pani Bucket. — Mnie teraz interesuje tylko to, g d z i e m o j a m a m a? G d z i e b a b c i a G e o r- g i n a?

— Hm, istotnie, gdzie też się podziała? — zafrasował się pan Wonka. — A ile lat miała szanowna dama?

— Siedemdziesiąt osiem — poinformowała pani Bucket.

— To wyjaśnia w s z y s t k o! — skonstatował pan Wonka.

— Jak to? — spytała zdezorientowana pani Bucket.

— Droga pani! Skoro miała siedemdziesiąt osiem lat, a wzięła tyle Wonka-Vity, że odmłodniała o osiemdziesiąt lat, to musiała zniknąć. Wzięła do ust więcej, niż mogła połknąć! Odjęła sobie więcej lat, niż miała!

— Proszę jaśniej! — zażądała pani Bucket.

— Prosta arytmetyka. Jak od siedemdziesięciu ośmiu odejmiemy osiemdziesiąt, to ile otrzymamy?

— Minus dwa! — odrzekł Charlie.

— Hura! — wykrzyknął pan Bucket. — Moja teściowa ma minus dwa lata!!!

— To niemożliwe! — sprzeciwiła się pani Bucket.

— Ale prawdziwe — powiedział pan Wonka.

— To gdzie jest teraz w takim razie, mogę spytać? — nastawała pani Bucket.

— To dobre pytanie — rzekł pan Wonka. — A nawet bardzo dobre. Istotnie, gdzie jest teraz?

— Nie ma pan najmniejszego pojęcia, prawda?

— Oczywiście, że mam — odparł pan Wonka. — Wiem dokładnie, gdzie jest teraz.

— Proszę powiedzieć zatem!

— Musi pani zrozumieć, że skoro pani matka ma teraz minus dwa lata, to musi odczekać owe dwa lata, zanim będzie mogła zacząć od zera.

— A gdzie niby odczeka? — spytała z irytacją pani Bucket.

— W poczekalni, rzecz jasna — odrzekł pan Wonka.

BUM-BUM-BUM! rozległy się bębny Umpa--Lump. BUM-BUM-BUM! I cała setka Umpa-Lump znajdująca się w Hali Czekoladowej zaczęła się kołysać w rytm muzyki, a potem zgodnym chórem zaśpiewała:

Uwaga, proszę, panowie i panie,
Wstrzymajcie kaszle, wstrzymajcie kichanie,
Albowiem sprawa tu staje poważna
Nader i lekce jej ważyć nie można.
Z rezerwą, zda się, usta wykrzywiacie.
A jeśli chodzi tu o wasze życie?

Czyście historię znamienną słyszeli
Szesnastoletniej Pinklesweet Gabrieli,
Która ucieczki od miasta zamętu
Szuka u babci w zacnym hrabstwie Kentu?
Babcia drugiego dnia wizyty rzecze:
„Przemiła wnusiu, wszak ci nie dopiecze

Samotność, dziewczę jesteś bardzo grzeczne,
Ja zaś załatwię sprawunki konieczne".

(Pytacie czemu babcia nie zaprosi
Przemiłej swojej na zakupy wnusi?
Kiedy się tylko babcia znajdzie w barze,
Dżin kielichami dawać sobie każe).

Ledwie za progiem zniknie mamy mama,
Dziewczynka, pewna, iż jest teraz sama,
Małej chociażby nie czeka chwileczki,
Do białej bieży, podręcznej apteczki,
Gdzie chciwie oczy oglądają skrzętne,
Pigułki, draże, flakoniki mętne,
Medykamenty o kolorach różnych,
I kształtach obłych, krągłych lub podłużnych.
„No, dobra", mówi, „chcę tę ze słoika",
Odkręca, bierze i łacno połyka.
„Hej, hej", powiada, „niezła była gratka,
Bo smakowała niczym czekoladka".
Bierze pięć nowych i jeszcze dziesiątek;
Szukać przestanie owych pigulątek,
Kiedy już żadnej w słoiku nie stanie.
Schodzi ze stołka, nieoczekiwanie
Dziwne ją jakieś dopada uczucie,
W brzuchu coś wierci niczym palcem w bucie.

Bo skąd też mogła i wiedzieć Gabriela,
Skoro zabrakło tu pouczyciela,
Że choć babunia nie kwęka, nie jęczy
Okropne ci ją zatwardzenie męczy?
Co tyle znaczy, iż babcia co wieczór
Na przeczyszczenie brać musi, na przekór
Chęci, przeróżne środki i specjały
I one głównie też w apteczce stały.

Białe, różowe, zielone i mleczne,
Nadzwyczaj silne i bardzo skuteczne.
Najgorsza jednak z nich wszystkich ta była,
Co ją Gabriela tak gracko chwyciła.
Sama babunia, chociaż dosyć śmiała,
Raz tylko w roku po nią też sięgała.
I czy się dziwić można tu w ogóle,
Że nawiedziły Gabrielę bóle?

Nie tylko bóle, bo oto w żołądku
Oznaki słychać jakby nieporządku,
Coś się porusza, coś burczeć poczyna,
Skonsternowana jest wielce dziewczyna,
Dźwięki wzbierają, coraz to mocniejsze,
Do powstrzymania zresztą też trudniejsze,
I jak nie gruchnie, jak mocno nie huknie!
Nawet słoń wielki tak głośno nie tupnie!
Farby z sufitu sypie się lawinka,
Tynku na ścianach ubyła też krzynka,
Wszystko się trzęsie, eksplozje, wybuchy,
Można pomyśleć — jakieś rozruchy
Są na ulicach, lub wzorem sąsiada
Uznać, że orkan tak się zapowiada.
Kresu nie widać owej zawierusze,
Pęka futryna, lampa się kołysze,
Biedna Gabriela chwyta się za brzucho
„A-ja-jaj", jęczy, „chyba ze mną krucho".
Więc przyznać trzeba, że nawet w opałach
Umysłu bystrość nadal zachowała,
Gdyż bardzo celne to było stwierdzenie.
(Umysłu bystrość w wysokiej jest cenie).

Do domu wraca babcia wpół do trzeciej,
Od dżinu oko każde jej się świeci,
Co nie przeszkodzi od razu wypatrzyć,
Że coś w łazience musiało się zdarzyć.
Pusty flakonik! „Och, moje pigułki,
Czemuś ruszała je w ogóle z półki?"
Gabriela jęczy: „Martwię się o zdrowie".
„Trudno się dziwić", babcia jej odpowie
I pogotowia numer w mig wykręca.
„Proszę przyjeżdżać! Sprawa jest paląca,
Moja wnuczusia rozpęknąć się może,
W panu już tylko nadzieja, doktorze!"

Pewna to sprawa, że nie chcecie wcale
Słyszeć, jak mogą sprawiać się szpitale,
Płuczą żołądki, robią lewatywy,
Tak, tak, bez żartów, dosyć to straszliwy
Obraz, dlatego lepiej odpowiedzieć —
Bez tego pewnie trudno wam usiedzieć —
Czy się Gabrieli szok zdzierżyć udało.
Spece sądzili, że nie wyjdzie cało:
Konsylium całe oznajmiło smutnie,
Że chociaż jest im to przykre okrutnie,
Dziewczę przygody tej nie zniesie żywe.
Były to jednak opinie fałszywe,
Gdyż Gabriela nagle otwiera
Oczy niebieskie i głos tak zabiera:
„Chyba się jednak mylicie głęboko,
Będzie, jak czuję, ze mną raczej spoko".
I oczka do nich przekornie tak mruży,
Że każdy widzi, iż jest już po burzy.

Do babci domu znowu wraca zatem
— Karetka była dość wygodnym fiatem —
A już nazajutrz wielkim mercedesem
Zjawił się ojciec, by ją tym cymesem
Do Dover odwieźć, tam bowiem mieszkała.
Nie jest to jednak historia jej cała.
Bo jeśli tylko przyjmiecie zbyt wiele
Groźnej substancji, przechowa się w ciele,
W skórze i kościach, krwi i chromosomach,
W wątrobie, trzustce, nerkach oraz głowach
Pozostałości mnóstwo, cóż, niestety,
Nic nie poradzą tu autorytety.
Tak też z Gabrielą potoczą się sprawy:
Z wielkim uszczerbkiem dla gier i zabawy
Lat jeszcze wiele spłacać trzeba będzie
Koszty wybryku, dlatego zasiądzie
Na siedem godzin długich dnia każdego
W takim przybytku, co nie ma żadnego
Miana innego, jak tylko wstydliwe.
Nie jest to przecież specjalnie szczęśliwe,
Że spędzić przyjdzie, cóż, sami już wiecie,
Sporą część życia w damskiej toalecie.
Bo też i miejsce to sobie nie rości
Prawa do miana przybytku radości.
Jeśli więc chcecie losu tej Gabrieli
Uniknąć, każdy niech się raz ośmieli
I przyrzeczenie złoży bardzo szczerze,
Że się do leków nigdy nie dobierze.
Niech trwa w łazience apteczka zamknięta.
Cna to nauczka, chłopcy i dziewczęta!

16

Wonka-Vita i Minuslandia

— Decyzja należy do ciebie, Charlie — powiedział pan Wonka. — Ty tu teraz jesteś właścicielem. Czy pozwolimy babci Georginie czekać dwa lata, czy zaraz ją sprowadzimy?

— Naprawdę potrafiłby pan ją sprowadzić? — zawołał z niedowierzaniem w głosie Charlie.

— Spróbować można, jeśli tylko... jeśli naprawdę tego chcesz.

— Pewnie, też mi pytanie. Przede wszystkim ze względu na mamę! Niech pan tylko spojrzy, jaka jest smutna!

Pani Bucket przysiadła na krawędzi łóżka i chusteczką ocierała łzy z oczu.

— Moja biedna mama! — szlochała. — Jest teraz dwa na minusie i minie ponad dwadzieścia miesięcy, zanim zobaczę ją znowu!

Za jej plecami dziadek Joe, mając do pomocy Umpa-Lumpy, karmił z butelki swoją trzymiesięczną żonę, babcię Josephine. Obok pan Bucket usiłował nakarmić dziadka George'a „Dziecięcym Musem Owocowym Wonki", ale większość specjału trafiała nie do ust jednoroczniaka, lecz na jego brodę i policzki.

— Ale numer! — mruczał pod nosem. — Wspaniała historia, nie ma co! Miałem się setnie ubawić w słynnej fabryce czekolady, a tymczasem muszę niańczyć swego teścia.

— Wszystko jest pod kontrolą, Charlie — oznajmił pan Wonka, oceniwszy sytuację. — Nie jesteśmy tu potrzebni, gdyż wszyscy świetnie sobie radzą! Chodź, wyprawimy się po babcię! — Chwycił Charliego za ramię i pociągnął do otwartych drzwi wielkiej szklanej windy. — Pospiesz się, chłopcze! — ponaglał. — Żebyśmy się tylko nie spóźnili!

— Na co, proszę pana?

— Zanim zdążą ją odjąć, rzecz jasna. Wszystkie minusy pochodzą z odejmowania. Nie uczyłeś się w ogóle arytmetyki?

Byli już w windzie, a pan Wonka wyszukiwał między setkami guzików tego jednego właściwego.

— A, t u cię mam! — powiedział wreszcie i delikatnie położył palec na kremowym przycisku z napisem „Minuslandia".

Drzwi zamknęły się z lekkim szmerem, a potem kabina z gwizdem i terkotem skoczyła w prawo. Charlie ze wszystkich sił ścisnął dłoń pana Wonki, a ten drugą ręką wyciągnął ze ściany rozkładany fotel.

— Siadaj szybko, chłopcze, i dobrze przypnij się pasami. Czeka nas ostra jazda!

Charlie mocno opiął się pasami zwisającymi po obu stronach fotela, pan Wonka wyciągnął dla siebie drugie siedzenie i zrobił to samo.

— Czeka nas długa droga w dół — oznajmił. — Och tak, bardzo długa.

Winda nabierała szybkości, kołysząc się na boki.

Zrobiła ostry wiraż w lewo, potem w prawo, potem znowu w lewo, i przez cały czas się obniżała.

— Miejmy nadzieję — mruknął pan Wonka — że Umpa-Lumpy nie korzystają dziś z drugiej windy.

— Jakiej drugiej? — zainteresował się Charlie.

— Jedzie w przeciwnym kierunku, ale po tym samym torze.

— O rany, panie Wonka! To znaczy, że może się z nami zderzyć.

— Jak dotąd zawsze miałem szczęście, chłopcze... Ale zaraz! Spójrz tam, szybko!!!

Za oknem mignęło coś jak ogromny kamieniołom z wielkimi, brązowymi, poszarpanymi urwiskami skalnymi, na których zawzięcie pracowały setki Umpa-Lump uzbrojonych w młoty pneumatyczne i kilofy.

— Złoża cukierkowe — wyjaśnił pan Wonka. — Największe złoża cukierkowe na świecie!

Winda dalej mknęła w dół.

— Jedziemy coraz niżej i niżej, Charlie, coraz głębiej i głębiej. Już teraz jesteśmy dwieście tysięcy stóp pod ziemią.

W iluminatorach przelatywały przedziwne widoki, ale winda poruszała się tak szybko, że tylko z rzadka udawało się Charliemu cokolwiek rozpoznać. Raz mignęło w oddali skupisko chatek wyglądających jak odwrócone dnem do góry fili-

żanki, a po uliczkach między nimi przechadzały się Umpa-Lumpy. Innym razem, kiedy mijali wielką czerwoną równinę upstrzoną czymś, co przypominało stare szyby kopalniane, zobaczyli, jak w górę bije strumień brązowej mazi.

— Wytrysk! — zawołał z entuzjazmem pan Wonka, klaszcząc w dłonie. — Wspaniały, wielki wytrysk! Cudownie! Właśnie teraz, gdy bardzo nam na nim zależało!

— Co takiego?

— Nowe pole czekolady, mój drogi! A sądząc po sile strumienia, bardzo bogate! Co za fenomenalny wytrysk!!!

Lecieli już teraz zupełnie pionowo w dół, a za oknami pojawiały się kolejne dziwy: wielkie koła zębate, mieszarki, dmuchawy, rozległe sady z drzewami toffi, ogromne stawy wypełnione niebieskimi, złotymi i zielonymi cieczami i wszędzie — Umpa--Lumpy!

— Teraz już rozumiesz, że wcześniej w trakcie zwiedzania fabryki w towarzystwie tych wstrętnych bachorów zobaczyłeś tylko malutki fragment całego przedsięwzięcia. W dół fabryka ciągnie się całymi milami. Wkrótce, jak tylko to będzie możliwe, oprowadzę cię spokojnie po całości. Ale to zajmie nam pełne trzy tygodnie. Na razie trzeba zatroszczyć się o coś innego, a ja muszę ci teraz przekazać bardzo ważne informacje. Słuchaj mnie uważnie, Charlie. Muszę się spieszyć, gdyż będziemy na miejscu za kilka minut. Sądzę, że domyśliłeś się, co się stało z tymi Umpa-Lumpami, na których próbowałem w Hali Testowej kolejne wersje Wonka-Vity. Oczywiście, że tak. Zniknęły i stały się minusowe, jak teraz twoja babcia Georgina. Receptura była zdecydowanie za silna. Wyobraź sobie, że jedna odjechała na minus osiemdziesiąt siedem! Coś takiego!

— To znaczy, proszę pana, że trzeba będzie czekać osiemdziesiąt siedem lat, zanim wróci?

— I to mnie martwi, drogi chłopcze. Przecież zaprzyjaźnionej osobie nie można kazać czekać gdzieś jako marne osiemdziesiąt siedem minus...

— Tak, tak, to minusowe odejmowanie jest straszne.

— Pomyślałem sobie zatem tak: „Willy Wonka, skoro potrafisz zrobić miksturę, która ludzi odmładza, to z pewnością potrafisz także sporządzić taką, która ludzi postarza, więc..."

— Tak, rozumiem, do czego pan zmierza! — krzyknął Charlie. — Zamieni pan minusy w plusy i będzie można szybciej wrócić do domu.

— Otóż to, sprytny z ciebie chłopak! Tylko, rzecz jasna, trzeba jeszcze u s t a l i ć, dokąd się udały minusy!

Winda niezłomnie zmierzała w kierunku środka Ziemi. Za oknami nic nie można było dostrzec, panowała bowiem zupełna ciemność.

— Raz jeszcze zatem — ciągnął pan Wonka — zakasałem rękawy i wziąłem się do pracy. Intensywnie zacząłem się zastanawiać nad nowym przepisem... Musiałem ludzi postarzyć, uczynić s t a r-s z y m i... A co takiego na ziemi żyje najdłużej, dłużej od czegokolwiek innego?

— Drzewo — odparł Charlie.

— Świetnie, Charlie! Ale teraz, jakie drzewo? Nie świerk. Nie topola. Nie dąb. Musi to być sosna, sosna oścista, i to nie byle jaka sosna oścista, ale ze stoków Wheeler Peak w amerykańskim stanie Nevada, tamte sosny bowiem mają aż cztery tysiące lat! Tak, tak, mówię prawdę, Charlie. Spytaj jakiego chcesz dendrochronologa (a najpierw sprawdź w słowniku wyrazów obcych, co to słowo znaczy), a on to potwierdzi. Od tego się zaczęło. Moją wspaniałą szklaną windą objechałem cały świat, zbierając wszelkie możliwe starocie... Oto one:

PINTA SOKU Z CZTEROTYSIĘCZNOLETNIEJ
SOSNY OŚCISTEJ
SKRAWKI PAZNOKCI STOSZEŚĆDZIESIĘCIO-
OŚMIOLETNIEGO CHŁOPA ROSYJSKIEGO,
PIOTRA GRIGORIEWICZA
JAJO ZŁOŻONE PRZEZ DWUSTULETNIEGO

ŻÓŁWIA, KTÓREGO WŁAŚCICIELEM JEST
KRÓL TONGA
OGON PIĘĆDZIESIĘCIOJEDNOLETNIEGO
KONIA Z ARABII
WĄSY TRZYDZIESTOSZEŚCIOLETNIEGO KOTA
IMIENIEM RUMPET
OGON DWUSTUSIEDMIOLETNIEGO SZCZURA
TYBETAŃSKIEGO
CZARNY KIEŁ DZIEWIĘĆDZIESIĘCIOSIEDMIO-
LETNIEJ KOCICY ŻYJĄCEJ W JASKINI
W GÓRZE POPOCATEPETEL
ODROBINA KOPYTA SIEDMIUSETLETNIEGO
ZEBU Z PERU...

...Tak, tak, Charlie, rozjeżdżałem się po całym świecie, szukałem najstarszych zwierząt i z każdego coś brałem: a to włos, a to odrobinkę skóry, a to trochę pyłu zeskrobanego ze szponów podczas snu... Mówię ci, wyśledziłem ŚWISZCZA, RYŻOJADA, SKROKA, ROPUCHTAMA, WIELKIEGO ARABESKA, ŚMIERDZIAKA GŁADKIEGO I JADOWITĄ SKRZECZUCHĘ, która potrafi strzyknąć ci jadem w oko z odległości pięćdziesięciu jardów. Ale nie mam teraz czasu opowiadać o tym dokładniej, Charlie. W każdym razie, po mnóstwie gotowania, parowania, mieszania i testowania w mej Hali Wynalazków udało mi się uzyskać niewielki kubeczek gęstej, ciemnej mazi, której cztery krople podałem dzielnej dwudziestoletniej Umpa-Lumpie ochotniczce.

— I co się stało? — spytał niecierpliwie Charlie.

— Efekt fenomenalny! — wykrzyknął pan Wonka. — Ledwie przełknęła, a natychmiast zaczęła się marszczyć, kurczyć, zaczęły jej wypadać włosy i zęby, tak że zanim się obejrzałem, już stała przede mną istota siedemdziesięciopięcioletnia. W taki to sposób, mój drogi Charlie, została odkryta Vita-Wonka.

— Udało się panu uratować wszystkie wyminusowane Umpa-Lumpy?

— Wszystkie co do jednej, drogi chłopcze. Dokładnie sto trzydzieści jeden! Nie obyło się bez kłopotów i komplikacji, ale... Ale teraz czas kończyć, bo już prawie dotarliśmy do celu. M u s z ę się skupić!

Dopiero w tej chwili Charlie się zorientował, że winda nie świszczy już ani się nie kolebie, a tylko sunie lekko, zupełnie jakby płynęła.

— Odepnij pasy — polecił pan Wonka — i bądź gotów!

Charlie uwolnił się z pasów i wyjrzał przez iluminator. Widok był dziwny: spowijała ich gęsta mgła, która kłębiła się, jakby w porywach wiejących zewsząd wiatrów. Im dalej od windy, tym mgła była ciemniejsza i tym gwałtowniej się poruszała. Pan Wonka rozsunął drzwi i powiedział:

— Uważaj, Charlie, żebyś pod żadnym pozorem nie wypadł.

Windę zaczęła wypełniać mgła cuchnąca mokrą stęchlizną. Cisza była kompletna. Nie słyszało się żadnego podmuchu, żadnego głosu ptaka ani owada, a Charliego przepełniło bardzo niemiłe uczucie, że stoi w środku jakiejś zupełnie nieludzkiej pustki, jak gdyby znaleźli się w jakimś całkiem innym świecie, gdzie nie powinien się znaleźć żaden człowiek.

— Minuslandia — szepnął pan Wonka. — Teraz, Charlie, główny problem to odnaleźć twoją babcię. Może nam się uda... a może nie!

17

Akcja ratunkowa
w Minuslandii

— Nie podoba mi się tutaj — powiedział cichutko Charlie. — Czuję ciarki na skórze.

— Ja także — szepnął pan Wonka. — Ale mamy tu zadanie do wykonania i nie możemy się wycofać, Charlie.

Mgła osiadała na iluminatorach windy i cokolwiek można było zobaczyć tylko przez drzwi.

— Czy ktoś tutaj żyje, proszę pana?

— Mnóstwo Gnulów.

— Czy są niebezpieczne?

— Tak, jeśli uda im się ciebie ugryźć. Jeśli Gnul cię ugryzie, już po tobie, chłopcze.

Winda wolno sunęła przed siebie, leciutko kołysząc się na boki. Wszędzie widać było tylko szaroczarną mgłę.

— A jak wyglądają te Gnule, proszę pana?

— W ogóle nie w y g l ą d a j ą. Nie mogą wyglądać.

— Nigdy pan nie widział żadnego?

— Gnuli nie można zobaczyć. Nie można ich nawet poczuć do chwili... Do chwili, gdy coś cię ukłuje, ale wtedy jest już za późno. Bo już cię zdążyły dopaść.

— Czy to znaczy, że... Że w tej chwili mogą gdzieś tu czatować obok nas?

— Mogą — odparł pan Wonka.

Charlie poczuł, jak skóra cierpnie mu jeszcze bardziej.

— I natychmiast się umiera? — spytał drżącym głosem.

— Najpierw zostajesz odjęty... trochę później zaczynasz się rozdzielać... bardzo wolno... bardzo długo... Długo to trwa i bardzo boli.

— A... a nie moglibyśmy zamknąć drzwi, proszę pana?

— Niestety nie, mój chłopcze. Przez szyby nigdy jej nie dostrzeżemy. Za dużo wilgoci i mgły. I tak będą kłopoty z tym, żeby ją zabrać.

Charlie stał oddalony trochę od drzwi windy i wpatrywał się w ciemne kłęby. „Tak, myślał, musi wyglądać piekło..." Piekło bez żadnego ognia... Było w tym miejscu coś niesamowitego, niewiarygodnie diabelskiego... Nieustanne poruszanie się mgły rodziło wrażenie, iż kryje się w niej jakaś potężna i złowroga siła... Charlie poczuł szturchnięcie w ramię i podskoczył niemal do sufitu!

— Przepraszam — powiedział pan Wonka. — To tylko ja.

— Myślałem... — zająknął się Charlie. — Myślałem, że...

— Wiem, co sobie pomyślałeś, Charlie... A tak nawiasem mówiąc, bardzo się cieszę, że jesteś teraz ze mną. Sam chyba rozumiesz, jak człowiek się czuje, kiedy znajdzie się tu sam... Jak... ze mną po wielokroć było.

— Rrrozumiem — wykrztusił chłopiec.

— Jest! — krzyknął pan Wonka, wyciągając palec. — Nie, chyba jednak nie... Ja... Przysiągłbym, że przed chwilą widziałem ją na skraju tej ciemnej smugi. Miej oczy szeroko otwarte, Charlie!

— T a m! — wykrzyknął chłopiec. — T a m! Niech pan sam spojrzy!!

— Gdzie, gdzie? Pokaż, bo nie widzę.

— Znowu... Znowu zniknęła. Jakby się rozpłynęła.

Obaj stali teraz w otwartych drzwiach i usiłowali wypatrzyć coś w szaroczarnej mgle. Ponownie odezwał się Charlie:

— T a m, t a m! Szybko! Panie Wonka, w i d z i pan teraz?

— T a k, C h a r l i e, w i d z ę! Zbliżam się teraz, uwaga!

Pan Wonka sięgnął do tyłu i jego palce zatańczyły po guzikach.

— Babciu! — gorączkowo zawołał Charlie. — Przyjechaliśmy, żeby cię stąd zabrać!

Widzieli ją niewyraźnie, ale to bardzo niewyraźnie w oparach mgły. Co więcej, mgłę widzieli także przez b a b c i ę Georginę, która była przezroczysta! Prawie zupełnie jej nie było, bardziej przypominała cień niż cokolwiek innego. Dostrzegali profil twarzy i zarys ciała w jakby jakiejś sukni, ale ani nie stała, ani nie siedziała, tylko unosiła się poziomo.

— Czemu leży? — szepnął Charlie.

— Bo jest teraz Minusem. Przecież wiesz, jak wygląda minus, prawda? Jak... jak...

I pan Wonka zrobił w powietrzu poziomy gest.

Winda przysunęła się do babci Georginy na odległość najwyżej jarda. Charlie wyciągnął rękę, ale niczego nie dotknął, bo bez oporu przeszła przez skórę.

— Babciu! — jęknął.

Zjawa zaczęła odpływać.

— C o f n i j   s i ę! — polecił pan Wonka i z jakiegoś sekretnego schowka we fraku nagle wydobył pistolet natryskowy, wycelował wprost w cień babci Georginy i trzykrotnie nacisnął spust: RAZ... DWA... TRZY, a za każdym razem z lufy tryskała ciemna struga. Babcia Georgina w jednej chwili zniknęła im z oczu.

— W dziesiątkę! — Pan Wonka z podniecenia aż podskakiwał. — Trzy świetne strzały! Vita-Wonka działa jak należy.

— Gdzie się podziała? — spytał z niepokojem w głosie Charlie.

— Wróciła tam, skąd przybyła, rzecz jasna! — wyjaśnił pan Wonka. — Do fabryki. Już nie jest na minusie! Teraz jest już w stu procentach ukrwionym Plusem! A teraz szybko, musimy zmykać, zanim Gnule się do nas zabiorą.

Pan Wonka dźgnął palcem guzik, drzwi się zasunęły, a winda pognała w górę.

— Usiądź i znowu zapnij pasy, Charlie — polecił pan Wonka. — Mamy teraz prostą drogę do fabryki!

Winda ze świstem mknęła w kierunku powierzchni Ziemi. Obaj pasażerowie zastygli w fotelach, mocno do nich przypięci. Pan Wonka upchnął pistolet natryskowy w jakiejś wielkiej kieszeni w zanadrzu fraka.

— Wielka szkoda, że trzeba było skorzystać z tego starego grata — mruknął — ale inaczej się nie dało. Idealnym rozwiązaniem byłoby, naturalnie, gdybyśmy mogli starannie odmierzyć krople i podać je łyżeczką do ust. Ale Minusa nie da się nakarmić; to tak jakbyś chciał nakarmić cień. Dlatego musiałem uciec się do natryskiwacza. To był jedyny sposób, mój chłopcze!

— Ale poszło dobrze, prawda? — upewnił się Charlie.

— Jasna sprawa, przecież sam widziałeś. Chodzi jednak o to, że nie można wykluczyć pewnego przedawkowania.

— Przepraszam, panie Wonka, ale nie bardzo rozumiem.

— Posłuchaj, jeśli wystarczyły cztery krople Vita-Wonki, żeby młoda Umpa-Lumpa zamieniła się w staruszkę...

Pan Wonka nie dokończył, a tylko podniósł ręce w powietrze i opuścił je w bezradnym geście.

— Chodzi panu o to, że babcia mogła dostać za dużo...

Charlie pobladł na samą myśl.

— To bardzo prawdopodobne.

— Ale... dlaczego w takim razie wystrzelił pan na nią aż tyle tego... Dlaczego t r z y r a z y? Przecież tej mazi było tam kilka pint!

— Raczej galonów! — Pan Wonka klepnął się z rozmachem w udo. — Ale nie trapmy się teraz takimi drobiazgami, mój drogi Charlie! Najważniejsze, że wyciągnęliśmy ją z tego uroczyska. Z Minusa stała się teraz najprawdziwszym Plusem!

Skończone strapienia, spokojna głowa,
Babcia Georgina jest już plusowa.
Kłopotów ostatek:
Ile też ma latek?
Sto trzy czy bardziej jest jeszcze wiekowa?

18
Najstarsza osoba na świecie

— Triumfalny powrót, nie ma co, Charlie — oznajmił z dumą pan Wonka, kiedy winda zaczęła zwalniać. — Cała twoja wspaniała rodzina znowu będzie razem!

Kabina stanęła, drzwi się rozsunęły, a oni znowu zobaczyli Halę Czekoladową, czekoladową rzekę, Umpa-Lumpy, w samym zaś środku — wielkie łóżko należące do dziadków.

Dziadek Joe puścił się biegiem do przybyszów.

— Charlie! — wołał. — Jak to dobrze, że już jesteś!

Chłopiec objął dziadka, a potem uściskał rodziców.

— I jak, wróciła? — spytał niecierpliwie. — Jest babcia Georgina?

Nikt nie odpowiedział i tylko dziadek Joe wskazał palcem łóżko. Wszyscy patrzyli w podłogę. Charlie podszedł do łóżka. Na jednym jego końcu zobaczył dwoje dzieci — babcię Josephine i dziadka George'a — które smacznie spały wtulone w siebie, ale na drugim...

— Nie wpadaj w popłoch — usłyszał za sobą głos pana Wonki. — Uprzedzałem, że może być trochę za bardzo wyplusowana.

— I co pan z nią zrobił?! — nie wytrzymała pani Bucket. — Co pan zrobił z moją biedną starą matką?!

Na drugim końcu łóżka, oparta na poduszkach, leżała najdziwniejsza ludzka istota, jaką Charlie kiedykolwiek widział! W pierwszej chwili pomyślał, że to jakaś kopalna mumia, ale ta w tejże chwili się poruszyła. Nie tylko się poruszyła, ale nawet przemówiła. Tylko jak! Głosem tak skrzeczącym, jakby to zrobiła bardzo stara żaba — gdyby umiała mówić.

— Proszę, proszę — wydusiła z siebie babcia Josephine — oto i nasz kochany Charlie.

— B a b c i u!!! — zawołał wnuk. — Babciu Georgino! Ach, co...

Nie potrafił dokończyć zdania. Drobniutka twarz babci przypominała marynowany orzech. Miała tak głębokie zmarszczki, że prawie niepodobna było wypatrzyć w nich oczu i ust. Włosy bieliły się, a leżące na kołdrze dłonie wydawały się kawałkami pomarszczonej skóry.

Widok tej rozpaczliwie starej istoty przestraszył nie tylko rodziców Charliego, ale i dziadka Joe. Cała trójka zatrzymała się z daleka od łóżka. I tylko pan Wonka nie tracił dobrego samopoczucia.

— Ach, szanowna pani! — wykrzyknął, nachylił się i chwycił w swe ręce jedną z chudych pomarszczonych dłoni. — Witamy z powrotem! I jakże się pani czuje w dniu tak promiennym i szczęśliwym?

— Nie tak źle — zaskrzeczała babcia Georgina. — Całkiem nieźle... jak na moje lata.

— Świetnie! — powiedział pan Wonka. — Dzielna z pani osoba! Musimy teraz tylko ustalić, ile też

tych lat pani sobie liczy, a wtedy będziemy mogli podjąć odpowiednie zabiegi.

— Nie ma mowy o żadnych dalszych pańskich zabiegach! — zaprotestowała pani Bucket i mocno zacisnęła usta. — Dość już pan szkód narobił!

— Moja miła pani Obrażalska! — rzekł pan Wonka, zwracając się do niej. — I co to szkodzi, że osoba i tak już wiekowa stała się odrobinę starsza? Czy tak trudno to naprawić?! Nie pamięta już pani, że każda tabletka Wonka-Vity odmładza o dwadzieścia lat? Cofniemy pani mamę tak, że znowu będzie młodą dziewczyną o roziskrzonych oczach!

— I co z tego, skoro jej mąż jeszcze nawet nie wyrósł z pieluszek? — żachnęła się pani Bucket i oskarżycielskim gestem wskazała na uśpionego dziadka George'a.

— Droga pani — powiedział trochę zniecierpliwiony pan Wonka — nie możemy zająć się wszystkim naraz.

— Nie pozwalam na żadną Wonka-Vitę! — stanowczo oświadczyła pani Bucket. — Z pewnością znowu ją pan ujemnie wyminusuje.

— Nie, nie, za nic nie chcę być Minusem — wychrypiała babcia Josephine. — Jak znowu znajdę się w tej obrzydliwej Minuslandii, Gnule już mi nie popuszczą!

— Nie ma obaw! — Pan Wonka podniósł dłoń w uspokajającym geście. — Tym razem j a s a m zajmę się dozowaniem lekarstwa i zadbam o to, aby dostała pani dokładnie tyle, ile trzeba. Proszę mnie jednak uważnie posłuchać. Abym wiedział, ile pani zaordynować pigułek, muszę wiedzieć dokładnie, w jakim jest pani wieku. To chyba jasne, prawda?

— Wcale nie — sprzeciwiła się pani Bucket. — A czemu nie dawać po jednej pigułce i patrzyć, co się dzieje? Tak przecież bezpieczniej.

— To niemożliwe, miła pani. W tak poważnych przypadkach jak ten, Wonka-Vita podana w niewielkich dawkach w ogóle nic nie da. Nie, tu trzeba zadziałać jedną precyzyjnie odmierzoną porcją. Potrzebny jest silny wstrząs, a po jednej pigułce pani mama nawet nie drgnie. Za daleko odleciała. Taka niestety jest alternatywa: wszystko albo nic.

Pani Bucket nie zamierzała ustępować.

— Nie!

— A właśnie że tak. Niech mnie pani posłucha. Jeśli dręczy panią silny ból głowy, na który mogą zaradzić t r z y tabletki aspiryny, nie jest to dobre rozwiązanie brać każdą tabletkę co cztery godziny i patrzyć, co się dzieje. W ten sposób nigdy nie pokona pani bólu. Trzeba wszystkie pastylki połknąć naraz. Tak samo rzecz się ma z Wonka-Vitą. Mogę wrócić do rozmowy z pani matką?

— A niechże pan sobie wraca, zdaje się, że i tak nic na to nie poradzę — burknęła pani Bucket.

— Świetnie! — Pan Wonka podskoczył i pomachał stopami, zanim opadł. — Droga pani Georgino, ile też lat ma pani teraz?

— Nie wiem — zaskrzeczała. — Dawno już straciłam rachubę.

— Nie ma pani ż a d n y c h podejrzeń? — dopytywał się pan Wonka.

— Pewnie, że nie. Też byś nie miał, chłopcze, gdybyś był w moim wieku.

— Proszę się z a s t a n o w i ć! Błagam!

Ciemna, brązowa twarz zmarszczyła się jeszcze bardziej niż przedtem. Wszyscy czekali. Umpa-Lumpy zafascynowane widokiem tak wiekowej istoty podchodziły coraz bliżej i bliżej łóżka. Dwojga dzieci nic nie było w stanie wyrwać ze snu.

— Sto? — nalegał pan Wonka. — Sto dziesięć? Sto dwadzieścia?

— To nic nie da — wyrzęziła. — Nigdy nie miałam głowy do liczb.

— To prawdziwa k a t a s t r o f a! — zawołał zdesperowany pan Wonka, którego powoli zaczął opuszczać optymizm. — Jeśli nie potrafi mi pani podać swego wieku, nie będę mógł pani pomóc. Nie mogę ryzykować tego, że przedawkuję!

— W przeciwieństwie do swego najświeższego wyczynu? — rzuciła zjadliwie pani Bucket.

— Babciu! — odezwał się Charlie, ruszając w stronę łóżka. — W takim razie daj spokój temu, ile masz lat. Spróbuj sobie przypomnieć jakieś w y d a r z e n i e... Coś miłego... I to możliwie coś najwcześniejszego z tego, co pamiętasz...

— Och, mój drogi wnusiu, tyle rzeczy mi się przydarzyło, takie mnóstwo...

— A czy możesz je sobie p r z y p o m n i e ć, babciu?

— Nie wiem, kochanie. Jakbym się wysiliła, to pewnie bym sobie przypomniała jedną czy dwie...

— Brawo! — pochwalił Charlie. — No to spróbujmy, jakie jest twoje najwcześniejsze wspomnienie?

— Kochany, to trzeba się cofnąć naprawdę dobre kilka lat...

— Powiedzmy, kiedy byłaś taka jak ja. Co wtedy robiłaś?

Małe, zapadłe ciemne oczka powlokły się mgłą, a na ledwie widocznych wargach pojawił się cień uśmiechu.

— Statek... — mruknęła babcia Georgina. — Pamiętam statek... Nigdy go nie zapomnę.

— Dalej, babciu, dalej! Jaki statek? Płynęłaś na nim?

— Oczywiście, kochany. Wszyscyśmy na nim płynęli.

— Skąd? I dokąd? — niecierpliwie dopytywał się Charlie.

— Tego to ci już nie powiem... Byłam wtedy malutką dziewczynką... — Babcia Georgina przymknęła powieki. Charlie, podobnie jak cała reszta, zastygł w oczekiwaniu. — Miał taką piękną nazwę... Taką piękną... Ta nazwa... Nie, już sobie nie przypomnę.

Charlie aż podskoczył na brzegu łóżka, gdzie przysiadł, bo nagle przyszła mu do głowy pewna myśl. Cały aż dygotał z podniecenia.

— A gdybym ci podpowiedział tę nazwę, babciu, to byś ją poznała?

— Czy ja wiem... Chyba... chyba tak, Charlie.

— MAYFLOWER! — zawołał wnuk, a starowinka aż poderwała się z poduszek.

— T a k! — wychrypiała. — M a s z   r a c j ę! To był   M a y f l o w e r! Taka cudna nazwa!!!

— Dziadku! — podekscytowany Charlie zwrócił się do dziadka Joe. — W którym roku Mayflower przywiózł do Ameryki pierwszych osadników?

— Mayflower wypłynął z portu Plymouth szóstego września roku tysiąc sześćset dwudziestego — odparł zapytany.

— Plymouth... — zamyśliła się babcia Georgina. — To mi coś przypomina. Kto wie, może to i było Plymouth....

— Tysiąc sześćset dwudziesty! — Charlie złapał się za głowę. — To znaczy... To znaczy... Nie, lepiej ty już oblicz, dziadku!

— Spróbuję — mruknął dziadek Joe. — Kiedy tysiąc sześćset dwadzieścia odejmiemy od tysiąca dziewięciuset siedemdziesięciu dwóch, to otrzymamy... zaraz... nie popędzaj mnie, Charlie... otrzymamy... trzysta... trzysta pięćdziesiąt dwa.

— Na kolczaste króliki! — zawołał pan Bucket. — Ona ma trzysta pięćdziesiąt dwa lata!

— Więcej — sprostował Charlie. — Ile miałaś lat, babciu, kiedy wsiadałaś na ten statek? Osiem, dziewięć?

— Chyba byłam nawet młodsza, kochanie... Całkiem mała... Chyba nie więcej niż sześć.

— To nam daje t r z y s t a p i ę ć d z i e s i ą t o s i e m l a t! — sapnął Charlie.

— Oto jak działa Vita-Wonka — powiedział z dumą pan Wonka. — Co za moc!

— Trzysta pięćdziesiąt osiem lat! — pokręcił głową pan Bucket. — Nie do wiary!

— Pomyślcie tylko, czegoż się ona musiała naoglądać w życiu! — powiedział dziadek Joe.

— Moja biedna stara mama! — chlipnęła pani Bucket. — I dlaczego...

— Proszę nie rozpaczać! — rzekł pan Wonka. — Bierzemy się do dzieła. Przynieście Wonka-Vitę.

Już po chwili przed panem Wonką stanęła Umpa-Lumpa z wielką butlą w rękach.

— Dobrze, ile lat ma mieć starsza pani?

— Siedemdziesiąt osiem — stanowczo powiedziała pani Bucket. — Dokładnie tyle samo, ile miała, zanim zaczęły się te wszystkie głupoty!

— Ejże, a nie chciałaby być odrobinę młodsza? — spytał pan Wonka.

— Z pewnością nie. To zbyt ryzykowne!

— Zbyt ryzykowne, tak! — skrzeczącym głosem

poparła córkę babcia Georgina. — Znowu mnie wyminusujesz, jak będziesz zbyt chytry.

— Proszę bardzo, pani wola — mruknął pan Wonka. — Zatem trzeba trochę porachować.

Inna Umpa-Lumpa rozstawiła tablicę, na której pan Wonka zapisał:

Obecny wiek osoby ...   358
Ile lat chce mieć
        (odjąć)...   78
O ile lat odmłodzić   = 280
Skoro każda tabletka
Wonka-Vity odmładza
o 20 lat, trzeba 280
podzielić przez 20,
co daje   14
Ile tabletek   20) 280
trzeba podać

— Dokładnie czternaście pigułek Wonka-Vity — oznajmił pan Wonka, a kiedy Umpa-Lumpa zabrała tablicę, wziął z łóżka flaszkę i odliczył czternaście świetliście żółtych pigułek. — Woda! — polecił i niemal w tej samej chwili trzymał już w dłoni szklankę z wodą. Wrzucone do niej pigułki zaczęły się rozpuszczać z sykiem.

— Proszę szybko wypić! — powiedział pan Wonka, wręczając szklankę babci Georginie. — Najlepiej jednym łykiem.

Babcia dokładnie wykonała polecenie.

Pan Wonka zrobił krok do tyłu i wyjął z kieszonki w kamizelce duży zegarek.

— Proszę pamiętać, że w sekundę traci jeden rok, a musi się pozbyć dwustu osiemdziesięciu lat! To zajmie cztery minuty i czterdzieści sekund! Tak mijają wieki!

Zapadła taka cisza, że wyraźnie było słychać tykanie zegarka pana Wonki. Zrazu nie było widać, żeby cokolwiek zmieniało się w starowince. Leżała z zamkniętymi oczyma i tylko co jakiś czas delikatnie drgał jej jakiś mięsień twarzy albo drobniutka dłoń.

— Minęła minuta! — oznajmił pan Wonka. — Ma już sześćdziesiąt lat mniej!

— Moim zdaniem wygląda dokładnie tak samo — powiedział pan Bucket.

— A oczekiwał pan czegoś innego? Co znaczy sześćdziesiąt lat, kiedy ma się ich dobrze ponad trzy setki?!

— Jak się czujesz, mamo? — niespokojnie spytała pani Bucket. — Powiedz coś do mnie!

— Dwie minuty! — rzekł pan Wonka. — Jest młodsza o sto dwadzieścia lat!

Teraz można już było dojrzeć zmiany na starej twarzy babci Georginy. Zmarszczki robiły się mniej głębokie, usta mniej zapadnięte, nos — mniej zaostrzony.

— Mamo! — krzyknęła pani Bucket. — Dobrze się czujesz? Odezwij się, mamo, proszę!

Babcia usiadła na łóżku tak raptownie, że wszyscy podskoczyli.

— Słyszeliście n a j n o w s z ą wiadomość?! Ad-

mirał N e l s o n pobił F r a n c u z ó w pod Tra-
falgarem!!!

Pan Bucket machnął ręką.

— Zwariowała!

— Wcale nie — sprzeciwił się pan Wonka. —
Sunie przez wiek dziewiętnasty. — I dodał po chwili: — Już trzy minuty!

Prawdziwą przyjemnością było obserwowanie,
jak z każdą sekundą rósł wigor babci Georginy.

— G e t t y s b u r g! — obwieściła. — Nadchodzi
g e n e r a ł L e e! — Odrobinę zaś później załkała:
— Nie żyje! Nie żyje! Ach, nie żyje!

— Kto nie żyje? — spytał pan Bucket, pochy-
lając się w kierunku łóżka.

— L i n c o l n! — padła odpowiedź. — A teraz
pociąg...

— Musiała to widzieć! — entuzjazmował się
Charlie. — Musiała tam być!

— J e s t tam — poprawił go pan Wonka. —
A właściwie była kilka sekund temu.

— Czy ktoś mógłby mi wytłumaczyć, co tu się...
— zaczęła pani Bucket, ale pan Wonka nie dał jej
dokończyć:

— Cztery minuty, zostało już tylko czterdzieści
sekund! Tylko czterdzieści lat do odjęcia!

— Babciu! — krzyknął Charlie i rzucił się do
łóżka. — Wyglądasz niemal dokładnie tak jak kiedyś. Ale się cieszę!

— Żeby tylko znowu nie poleciała za daleko —
mruknęła nieufnie pani Bucket.

— Gotów jestem się założyć, że coś się nie uda
— oznajmił pan Bucket. — Zawsze tak jest.

— Nie wtedy, kiedy j a kontroluję sytuację — powiedział z dumą pan Wonka. — Czas upłynął! Szanowna dama ma teraz dokładnie siedemdziesiąt osiem lat. I jak też się pani czuje? Czy wszystko w porządku?

— Czuję się znośnie — odparła z godnością babcia Georgina. — Znośnie i tyle. I niech pan sobie nie myśli, panie kuglarzu, że będę za cokolwiek dziękować.

I oto znowu była zrzędliwą babcią Georginą, którą Charlie znał tak dobrze: taką samą jak przed tą całą historią z odmładzaniem. Pani Bucket z płaczem chwyciła matkę w objęcia, ta jednak odsunęła ją i spytała naburmuszona:

— Czy ktoś zechce mi wyjaśnić, co w moim łóżku robią te dwa bachory?

— Jeden z nich to twój mąż, mamo — poinformował pan Bucket.

— Nie gadaj bzdur! — ofuknęła go teściowa. — Gdzie j e s t George?

— Obawiam się, że to prawda, mamo — powiedziała pani Bucket. — George leży po lewej, a po prawej masz Josephine.

Babcia Georgina wymierzyła palcem w pana Wonkę.

— Ty sztukowaty sztukmistrzu! I coś tu znowu...

Ale pan Wonka wpadł jej w słowo:

— Zaraz, zaraz, zaraz. Na litość boską, po co nam dzisiaj jeszcze jedna zwada?! Jeśli wszyscy przestaną wszędzie wściubiać swoje nosy, całą zaś sprawę zostawią mnie i Charliemu, bardzo szybko zaprowadzimy dawny porządek.

19

Dzieci podrastają

— Proszę mi tutaj zaraz podać Vita-Wonkę, a wnet będzie spokój także i z tymi dwoma niemowlakami!

Jedna z Umpa-Lump szybko podała małą fiolkę i dwie srebrne łyżeczki.

— Zaraz, chwilkę! — surowo powiedziała babcia Georgina. — A co to znowu za obrzydlistwo chcesz pan im podać?

— Nie, nie, babciu, nie przeszkadzaj — wtrącił się Charlie. — Wszystko będzie w porządku, zapewniam cię. Vita-Wonka ma przeciwne działanie niż Wonka-Vita: nie odmładza, lecz postarza. To właśnie t o b i e daliśmy, kiedy byłaś Minusem. Vita-Wonka cię uratowała!

— Ale daliście mi za dużo! — zauważyła zgryźliwie staruszka.

— Chcieliśmy być pewni, że cię stamtąd wyciągniemy.

— A teraz chcecie to samo zrobić z George'em!

— Skądże, babciu — powiedział Charlie.

— Ja skończyłam na trzystu pięćdziesięciu ośmiu latach, ale jak teraz przez omyłkę dacie mu p i ę ć d z i e s i ą t r a z y w i ę c e j niż mnie? I nagle obok mnie w łóżku znajdzie się jaskiniowiec mający dwadzieścia tysięcy lat? W y o b r a ź tylko sobie, w jednej łapie trzyma maczugę, a drugą ciągnie mnie po ziemi za włosy. O nie, dziękuję!!!

— Babciu — spokojnie usiłował wyjaśnić Charlie. — W twoim przypadku musieliśmy użyć pistoletu natryskowego, gdyż byłaś Minusem, duchem. Ale teraz pan Wonka może...

— Tylko nic mi nie mów o tym fircyku! — wykrzyknęła. — Jest niebezpieczny jak niebezpiecznik!

— Nie masz racji, babciu. Teraz możemy dokładnie odmierzyć tyle kropel, ile trzeba, i podać dzieciom wprost do ust. Prawda, panie Wonka?

Pan Wonka z satysfakcją pokiwał głową.

— Rad widzę, Charlie, że się nie pomyliłem i przekazałem fabrykę w dobre ręce. Bardzo szybko się uczysz. Świetnie. No więc jak? Zostawiamy ich jako niemowlaki czy podrośniemy ich Vita-Wonką?

— Niech pan robi swoje — powiedział dziadek Joe. — Chcę, żeby znowu znalazła się przy mnie Josie taka jak dawniej, osiemdziesięcioletnia.

Pan Wonka ukłonił się nisko.

— Bardzo dziękuję za zaufanie. Co jednak z dziadkiem George'em?

— D o b r z e już, dobrze — gderliwie powiedziała babcia Georgina. — Ale uprzedzam, nie chcę tu w ł ó ż k u żadnego jaskiniowca!

— Sprawa zatem załatwiona! — wykrzyknął pan Wonka. — Chodź, Charlie, zrobimy to we dwóch! Masz jedną łyżeczkę, ja wezmę drugą. Na każdą odmierzę po cztery krople, potem obudzimy maluchy i wlejemy im płyn do ust.

— A kim mam się zająć, proszę pana?

— Babcią Josephine, tą maciupką. Ja się za-
biorę do jednorocznego dziadka George'a. Oto twoja łyżeczka.

Charlie wziął łyżeczkę i nadstawił, pan Wonka
starannie odmierzył cztery krople gęstej, ciemnej
cieczy, a kiedy to samo zrobił ze swoją łyżeczką,
oddał buteleczkę Umpa-Lumpie.

— Ktoś chyba powinien potrzymać dzieci — zasugerował dziadek Joe. — Ja mogę wziąć Josie.

— Też mi pomysł! — obruszył się pan Wonka.

— Przecież Vita-Wonka działa natychmiast, a nie po sekundzie na każdy rok jak Wonka-Vita. Vita-Wonka jest szybka jak błyskawica! Wystarczy połknąć, a efekt następuje bezzwłocznie, jednocześnie starzenie się i rośnięcie! Tak więc wziąłby pan do rąk malutką dziewczynkę, a skoro w następnym momencie spoczywałaby w pańskich objęciach osiemdziesięcioletnia dama, najprawdopodobniej upuściłby ją pan na podłogę.

— Chyba ma pan rację — zgodził się dziadek Joe.

— Charlie, gotowy?

— Tak, panie Wonka!

Charlie przesunął się i ukłąkł po prawej stronie łóżka, gdzie słodko spało maleństwo. Podłożył rękę pod głowę dziewczynki, która przebudziła się i zaczęła płakać. Po drugiej stronie łóżka pan Wonka zajął się dziadkiem George'em.

— Na trzy, Charlie. Raz, dwa i... trzy!

Charlie włożył łyżeczkę do malutkich ust i wlał do nich płyn.

— Przypilnuj, żeby połknęła, bo inaczej nie podziała!

Niełatwo wyjaśnić, co nastąpiło potem, w każdym razie cokolwiek to było, nie trwało dłużej niż sekundę, tyle zatem, ile zabiera odliczenie: „sto dwadzieścia jeden". Tyle właśnie czasu było potrzeba, aby na oczach uważnie przyglądającego się Charliego malutkie niemowlę zamieniło się w osiemdziesięcioletnią babcię Josephine. Widok był doprawdy niezwykły, coś jak eksplozja starości. Raptem małe

dziecko znowu stało się starą kobietą, a Charlie nagle patrzył prosto w dobrze znaną i tak bardzo kochaną pomarszczoną twarz ukochanej babci Josephine.

— W i t a j, mój wnusiu — powiedziała. — Ale skąd się tu wziąłeś tak nagle?

— Josie! — Dziadek Joe podskoczył do łóżka. — Cudownie, że wróciłaś!

— A w ogóle gdzieś się oddalałam?

Także dziadek George powrócił w równie wspaniały sposób.

— Trochę lepiej wyglądałeś jako dzieciak — skrzywiła się babcia Georgina — ale przynajmniej z jednego powodu cieszę się, że jesteś jaki jesteś.

— Z jakiego? — spytał dziadek George.

— Nie będziesz moczył się do łóżka.

20

Co może wyciągnąć z łóżka

— Jestem pewien — zwrócił się pan Wonka do dziadka George'a, babci Georginy i babci Josephine — jestem pewien, że po tym wszystkim przestaniecie się wreszcie wylegiwać w łóżku i pomożecie kierować wielką fabryką czekolady.

— Kto, my? — spytała z niedowierzaniem w głosie babcia Josephine.

— Wy, a kto by inny?

— Czyś pan do końca zidiociał? — syknęła babcia Georgina. — Ja ani myślę ruszać się z łóżka, bo tu mi bardzo wygodnie.

— Ani ja! — stanowczo poparł małżonkę dziadek George.

W tej chwili zakotłowało się między Umpa-Lumpami w drugim końcu hali. Pełne podniecenia o czymś rozprawiały, wymachiwały rękami, aż w końcu jedna wypadła z tłumu i pobiegła wprost do pana Wonki, wymachując trzymaną w ręku kopertą, a kiedy znalazła się przy nim, zaczęła mu coś nerwowo szeptać na ucho. Pan Wonka słuchał, co chwila pokrzykując:

— P o d b r a m ą? J a c y l u d z i e?... Wyglądali n i e b e z p i e c z n i e?... A, zachowywali się niebezpiecznie!... I c o?... Co takiego?... HELIKOPTER?... Wysiedli i to wam d a l i?

Pan Wonka jednym ruchem rozerwał ogromną kopertę i rozprostował umieszczony w niej list. Podczas gdy jego oczy przemykały po tekście, cała reszta, łącznie z Umpa-Lumpami, czekała w milczeniu. Nikt nawet nie drgnął. Charlie poczuł jakiś dziwny chłód. Miał wrażenie, że zaraz stanie się coś okropnego, jakby jakaś groźba zawisła w powietrzu. Jacyś ludzie pod bramą, helikopter, podenerwowane Umpa-Lumpy. Wpatrywał się pilnie w twarz pana Wonki, licząc, że z jej wyrazu czegoś się dowie.

— Niech to świnder duśnie! — wrzasnął znienacka pan Wonka i tak wysoko skoczył w powietrze, że kiedy opadł, nogi się pod nim ugięły i klapnął na podłogę. — Na hrabiego chrabąszcza! —

Zerwał się i zaczął tak powiewać listem, jakby odganiał moskity. — Posłuchajcie tylko tego! Posłuchajcie wszyscy!

I zaczął czytać na głos:

BIAŁY DOM
WASZYNGTON
STOLICA STANÓW ZJEDNOCZONYCH AMERYKI
PÓŁNOCNEJ

DO PANA WILLY'EGO WONKI

SZANOWNY PANIE!
CAŁY NASZ NARÓD AMERYKAŃSKI, A WŁAŚCIWIE CAŁY ŚWIAT RADUJE SIĘ DZIŚ SZCZĘŚLIWYM POWROTEM NA ZIEMIĘ KOSMICZNEGO PROMU TRANSPORTOWEGO ZE STU TRZYDZIESTU SZEŚCIOMA OSOBAMI NA POKŁADZIE. GDYBY NIE POMOC, JAKĄ OTRZYMALI ZE STRONY NIEZNANEGO POJAZDU KOSMICZNEGO, LUDZIE CI NIGDY JUŻ NIE WRÓCILIBY NA SWĄ PLANETĘ. ZGODNIE Z PRZEKAZANYMI MI INFORMACJAMI, OŚMIORO ASTRONAUTÓW Z ZAŁOGI OWEGO POJAZDU KOSMICZNEGO WYKAZAŁO SIĘ NIEBYWAŁĄ ODWAGĄ. NASZE STACJE OBSERWACYJNE STWIERDZIŁY, ŻE POJAZD TEN KIERUJĄC SIĘ NA ZIEMIĘ, WYLĄDOWAŁ W MIEJSCU ZNANYM JAKO FABRYKA CZEKOLADY WON-

KI. OTO PRZYCZYNA, DLA KTÓREJ LIST TEN KIE-
RUJĘ NA PAŃSKIE RĘCE.

CHCĄC DAĆ WYRAZ WDZIĘCZNOŚCI CAŁEGO
NARODU, NINIEJSZYM ZAPRASZAM OŚMIORO
OWYCH BOHATERSKICH ASTRONAUTÓW, ABY
JAKO MOI HONOROWI GOŚCIE ZECHCIELI SPĘ-
DZIĆ KILKA DNI W BIAŁYM DOMU.
TEGO SAMEGO DNIA, KIEDY KAŻDEGO
Z OWYCH ASTRONAUTÓW ODZNACZĘ MEDALEM
ZA ODWAGĘ, WYPRAWIĘ TEŻ W SALI BŁĘKITNEJ
WIELKIE PRZYJĘCIE. NAJBARDZIEJ ZNAMIENITE
POSTACIE ŻYCIA AMERYKAŃSKIEGO ZJAWIĄ SIĘ,
ABY POKŁONIĆ SIĘ PRZED ÓSEMKĄ BOHATE-
RÓW, KTÓRYCH CZYN ZŁOTYMI ZGŁOSKAMI BĘ-
DZIE ZAPISANY W DZIEJACH AMERYKI. OPRÓCZ
MNIE W UROCZYSTOŚCI WEZMĄ UDZIAŁ: ELVIRA
TIBBS, PANI WICEPREZYDENT, WSZYSCY CZŁON-
KOWIE GABINETU, SZEFOWIE WSZYSTKICH RO-
DZAJÓW SIŁ ZBROJNYCH, WSZYSCY KONGRES-
MENI I SENATORZY. BĘDZIE TEŻ POŁYKACZ
MIECZY Z AFGANISTANU, KTÓRY UCZY MNIE
WŁAŚNIE POŁYKAĆ MIECZYKI (BO JAK POWIE-
DZIAŁ, ZACZYNAĆ TRZEBA OD RZECZY MNIEJ-
SZYCH, A DOPIERO POTEM PRZECHODZIĆ DO
WIĘKSZYCH). KTO TAM JESZCZE BĘDZIE? ACH
TAK, MÓJ GŁÓWNY TRANSLATOR, GUBERNA-
TORZY ZE WSZYSTKICH STANÓW, NO I RZECZ
JASNA, MOJA KOTKA, PANI TAUBSYPUSS.

POD BRAMĄ FABRYKI CZEKA HELIKOPTER, ABY WSZYSTKICH ZABRAĆ. WPROST NIE MOGĘ SIĘ DOCZEKAĆ CHWILI, KIEDY WAS JUŻ UJRZĘ W BIAŁYM DOMU.

Z NAJUNIŻSZYMI POKŁONAMI
PAŃSKI

Lancelot R. Gilligrass.

Prezydent Stanów Zjednoczonych Ameryki
Północnej

PS. CZY MÓGŁBY MI PAN PRZYWIEŹĆ TAKŻE TROCHĘ KARMELKOWO-MIODOWEJ CZEKOLA-DY? PRZEPADAM ZA NIĄ, A TYMCZASEM WSZY-SCY MI JĄ PODKRADAJĄ Z BIURKA. BĘDĘ BAR-DZO WDZIĘCZNY, TYLKO PROSZĘ NIC NIE MÓ-WIĆ NIANI.

Pan Wonka skończył czytać. W zapadłej ciszy Charlie słyszał przyspieszone oddechy wszystkich zebranych. We wszystkich piersiach wezbrało tyle emocji, tak napęczniały radością, że całe powietrze zdało się naelektryzowane, aż wreszcie z bez-ruchu wyrwał się dziadek Joe... i z okrzykiem „Ju-huuuu!" porwał Charliego za rękę, pociągnął na brzeg rzeki czekoladowej i zaczął tam wraz z wnukiem wycinać hołubce.

— Jedziemy, Charlie! — wołał, wymachując przy tym rękami i nogami. — Do samego Białego Domu!!!

W tany puścili się także państwo Bucketowie, pan Wonka zaś biegał między Umpa-Lumpami i pokazywał im list od prezydenta Gilligrassa. Po jakimś czasie stanął jednak i głośno klasnął, aby wszystkich uspokoić.

— Czas się zbierać! Nie ma co zwlekać! Charlie! Dziadku Joe! I państwo, pani i panie Bucket! Helikopter na nas czeka! Jeszcze gotów odlecieć!!!

— Ej! — wykrzyknęła z łóżka babcia Georgina.
— A co z nami? Przecież nas także zaprosił, nie zapominajcie o tym!

— C a ł ą   ó s e m k ę! — przypomniała babcia Josephine.

— A to znaczy, że i m n i e! — powiedział dziadek George.

Pan Wonka zatrzymał się i odwrócił.

— Oczywiście, że wy także jesteście zaproszeni, ale łóżko nie zmieści się do helikoptera. Nie przejdzie przez drzwi.

— Zaraz... chcesz pan powiedzieć, że nie polecimy, jeśli nie wstaniemy z łóżka? — spytała babcia Georgina.

— Dokładnie to chcę powiedzieć — odrzekł pan Wonka, a trąciwszy Charliego w bok, szepnął mu na ucho: — Chodź do drzwi.

I obaj ruszyli do wyjścia, ale niemal natychmiast rozległ się za nimi szelest kołder i stęknięcie sprężyn, gdy troje staruszków wyskoczyło z łóżka i puściło się biegiem za swym wnukiem i panem Wonką, krzycząc:

— Poczekajcie! Poczekajcie!

Wszyscy — pan Wonka, Charlie i pozostali — z bezbrzeżnym zdumieniem przypatrywali się, jak ruszyli wzdłuż podłogi Hali Czekoladowej. Potem śmigali nad smacznymi krzaczkami i smakowitymi trawami, a z tyłu powiewały ich nocne koszule.

Znienacka babcia Josephine zatrzymała się tak gwałtownie, że stopy jeszcze pięć jardów przejechały po trawie.

— Stać! — wrzasnęła. — Czy myśmy powario-

wali? Na przyjęcie do Białego Domu w nocnych koszulach? Prawie nadzy staniemy tam na oczach
wszystkich, podczas gdy prezydent będzie nam
przypinał ordery?

— Ajajaj! — Babcia Georgina załamała ręce. —
No i c o my zrobimy?

— Nie macie ze sobą żadnych innych ubrań? — spytał pan Wonka.

— Oczywiście, że nie! — prychnęła babcia Josephine. — Przez ostatnie dwadzieścia lat nie wychodziliśmy z łóżka.

— No to nie możemy tam lecieć — zaczęła zawodzić z ogromnym smutkiem w głosie babcia Georgina. — Musimy zostać tutaj!

— A nie można by czegoś kupić w sklepie? — podsunął dziadek George.

— W sklepie, dobre sobie — obruszyła się babcia Josephine. — Nie mamy przecież pieniędzy! Nawet na jedzenie nam nie starczało.

— P i e n i ą d z e! — zawołał pan Wonka. — Tym się nie przejmujcie! Mam ich m n ó s t w o!

— Posłuchajcie — powiedział Charlie. — Powiemy pilotowi, żeby wylądował na dachu jakiegoś wielkiego sklepu z ubraniami, wy zejdziecie na dół i kupicie, co wam się tylko będzie podobało!

Pan Wonka poderwał w górę rękę Charliego.

— Charlie, co my byśmy b e z c i e b i e poczęli, chłopcze?! Jesteś wspaniały! Zapraszam teraz wszystkich. Lecimy do Białego Domu z małym przystankiem po drodze!

Cała ósemka chwyciła się za ręce, wybiegła z Hali Czekoladowej i tanecznym korowodem przebiegła korytarze fabryki, przemierzyła jej dziedziniec i stanęła u bramy. Tam już czekał helikopter. Od wielkiego helikoptera oderwała się grupka nadzwyczaj poważnie wyglądających mężczyzn, zatrzymała przed naszymi bohaterami i skłoniła z uszanowaniem.

— Uff, Charlie! — sapnął dziadek Joe. — To był naprawdę wyczerpujący dzień.

— Ale wcale się jeszcze nie skończył, dziadku — powiedział Charlie. — Jeszcze się nawet na dobre nie zaczął.

Spis treści

ROALD DAHL

URODZONY   Llandaff, Walia, 1916

SZKOŁY   Llandaff, Cathedral School,
St Peter's, Repton

ZAJĘCIA   przedstawiciel Shell Oil
Company na wschodnią Afrykę, pilot
myśliwca RAF-u w czasie drugiej wojny
światowej, attaché lotniczy, pisarz

Roald Dahl, podobnie jak bohaterowie tej książki,
został zaproszony do siedziby prezydenta Stanów Zjednoczonych. Eleanor Roosevelt za-
chwycała się pierwszą jego książką *The
Gremlins* i zaprosiła go na kolację do
Białego Domu. Pewnego dnia razem
z prezydentem Rooseveltem wyje-
chał na przejażdżkę samochodo-
wą po okolicy, ale tak się po-
gubili, że zaczęli jechać po złej
stronie szosy, zmuszając inne auta
do ucieczki na pobocza! Dahl należał do ulubionych gości prezydenta Roosevelta i jego żony, którzy zapraszali go nawet do
swej siedziby weekendowej Hyde Park.

Roald Dahl zmarł w 1990 roku w wieku siedemdziesięciu
czterech lat.

Oto jego życiowe motto:

Moja świeca z dwóch końców płonie,
Nie przetrwa nocy, za krótki knot,
Lecz przyjaciołom i wrogom moim
Nim się wypali, da światła moc.

Więcej informacji o Roaldzie Dahlu znajdziesz na stronie
www.roalddahl.com